W9-BQS-023

Maria
De
Sanabria

María De Sanabria

DIEGO BRACCO

nowtilus

Colección: Novela Histórica
www.nowtilus.com

Título: María de Sanabria
Autor: © Diego Bracco

Copyright de la presente edición © 2007 Ediciones Nowtilus S. L.
Doña Juana I de Castilla 44, 3º C, 28027 Madrid
www.nowtilus.com

Editor: Santos Rodríguez
Coordinador editorial: José Luis Torres Vitolas

Diseño y realización de cubiertas: Opalworks
Diseño y realización de interiores: JLTV

ISBN 13: 978-84-9763-377-2
Fecha de publicación: Marzo 2007

Printed in Spain
Imprime: Gráficas Marte, S.A.
Depósito Legal: M-8221-2007

Índice

I

María de Sanabria sonrió como desafiando todas las prohibiciones. Sabía que si actuaba con habilidad conseguiría conocer de primera mano lo que había sucedido con el náufrago más admirado, amado y desdichado de su tiempo. Aguardó el momento propicio, burló la vigilancia de su padre y se apoderó del libro en que Cabeza de Vaca narraba su infortunio. Hizo saber que no se encontraba bien e inmediatamente después de la cena se retiró a su habitación. Cerró los sentidos al calor de la noche del final del verano, al bullicio que provenía de la calle y al hedor que la ligera brisa distribuía por Sevilla.

Empezó a leer y soñó despierta que se había disfrazado de hombre para embarcar en la expedición que llevó a Cabeza de Vaca hacia el Caribe en 1527. Imaginó que soportaba junto a él las calamidades que diezmaron aquella armada desgraciada. Le vio combatir la borrasca con seguridad exenta de soberbia y se sintió embargada por la admiración. Se inundó de deseo contemplando su poderoso torso desnudo azotado por la lluvia. En la calma de la noche posterior a la borrasca le tocó tumbarse junto al náufrago. Bajo la tenue luz de la luna le miró con pasión, le besó y guió bajo su ropa las manos del marino para revelarle su secreto.

Mientras leía, María desembarcó junto al único que conocía su condición y al lado de trescientos hombres que habían escapado a la furia del viento. Todos contemplaron con amargura la orilla pantanosa llena de caimanes y serpientes donde la tempestad los había arrojado, pero ella solo vio flores. Tras unos meses, el territorio inhóspito, los ataques indígenas, hambre, sed y enfermedades redujeron la expedición al punto que de los trescientos que habían desembarcado, vivían cuatro. Al capricho de lo que se sueña incluso estando despierto, María ignoró el trabajo que las penalidades tendrían que haber hecho sobre su aspecto y carácter. Abrazada, protegida y protectora de Cabeza de Vaca, se encontró a la florida vera de un arroyo lamentando los muertos pero sin sufrir por ellos. Los seis años siguientes fue compañera de viaje y destino del que sentía como esposo y compañero. Le alentó durante el tiempo de esclavitud entre los indígenas, le siguió de aldea en aldea cuando se convirtió en mercader y le enseñó lo que solo las mujeres saben cuando se transformó en curandero.

María celebró sin alegrarse la circunstancia que reunió a Cabeza de Vaca con los otros tres sobrevivientes. Con ellos anduvo hacia el océano Pacífico y luego hacia México, recorriendo muchos miles de kilómetros por tierras que ningún europeo había visitado antes. Por el camino oyeron hablar innumerables lenguas y aprendieron seis. Se asombraron con el cariño que ciertas tribus prodigaban a sus hijos. A las fosas nasales de María volvió el olor a carne chamuscada; a su oído y su piel el gemido de los sodomitas que había visto perecer en la hoguera. Le pareció raro que allí no fuera ni bueno ni malo que en algunas tribus hubiera hombres casados con hombres que andaban vestidos como mujeres y hacían oficio de mujer. Aceptó la hospitalidad de unos indios que se emborrachaban con humo y daban cuanto tenían por él y decidió que debía probar el tabaco. Al final de la noche, María estaba terminando la lectura y había vivido casi una década de naufragio y pasión. Las últimas páginas trajeron indicios de la presencia de españoles que anunciaban el fin del viaje. María sintió cerca las fronteras de su propio paraíso y quiso que no fuera cierto. Al igual que los indios observó que Cabeza de Vaca y ella venían de donde salía el sol, y los españoles que procedían de México de donde se pone. Los malquiso como quien llega desnudo y descalzo y encuentra hombres arrogantemente vestidos y en caballos y con lanzas.

Acabó de leer que Cabeza de Vaca había conseguido volver a España no sin antes sortear tempestades y corsarios, pero esta vez no soñó ser parte del viaje. El resto de la historia era muy conocida y detalle más, detalle menos, era llevada y traída en boca de nobles y sirvientes, de prostitutas y marineros. No había quien se mantuviera ajeno a la discusión acerca de las razones de Cabeza de Vaca. Había mil opiniones sobre los hechos que le habían impulsado a hacerse a la mar en vez de quedarse a disfrutar de la recuperada vida, la importante hacienda y la enorme fama. Cada cual tenía la propia conjetura sobre la importancia de los tesoros que esperaba encontrar para procurar la merced real y partir como gobernador a las remotas tierras del Río de la Plata.

En las posadas y en los embarcaderos; en las iglesias y en las casas de los nobles se discutía y se tomaba partido a favor o en contra del gobierno de Cabeza de Vaca en las Indias. Se condenaba o se indultaba a los amotinados que le habían derrocado para impedir que les quitara las cincuenta mancebas que cada uno tenía. Desde que en el año 1545 había regresado cargado de acusaciones, se hacían conjeturas e incluso apuestas sobre lo que le sucedería. Muchos aseguraban que sabía mucho y callaba todo. Opinaban que jamás revelaría la ubicación de El Dorado mientras no se le repusiera en el gobierno del Río de la Plata. No faltaba quien aseguraba que sus amigos conspiraban para propiciar su huida a las Indias. Se decía que Cabeza de Vaca aguardaba con paciencia la dilucidación de los pleitos porque ya había encontrado la fuente de la juventud. Algunos murmuraban que retomaría el gobierno de las vastas selvas encantadas de la mano de las amazonas. Muchos coincidían en pronosticar que a la fuerza nunca diría nada sobre el oro y los milagros que custodiaban los indios antropófagos y la selva del Paraguay.

"No ha sido", pensó María "que sobreviviera lo que me empuja a quererle. Le amo porque cuando consiguió volver desdeñó la suficiente hacienda y la mucha fama y volvió a embarcarse. Y ahora...", se dijo la joven "...porque está pudriéndose en la casa que le asignaron como cárcel mientras un hato de intrigantes cobardes quiere sucederle. ¡Y en primer lugar el despreciable de mi padre!".

De nuevo un tic de disgusto afloró en el rostro de la joven, que no podía impedir que su mente comparara al náufrago con su padre, su hermanastro y los hombres que la cortejaban. Inmediatamente corrigió el gesto, consciente de la importancia de un aspecto perfecto para conseguir su propósito. María cerró el libro de los Naufragios y lo ocultó a la espera de la ocasión para retornarlo a su sitio sin que nadie lo notara. Mientras lo hacía intuyó que tenía el mundo al alcance de su mano y que grandes cosas le estaban reservadas. El creciente ruido de pasos, murmullos y risas apagadas anunció la reanudación matinal de la actividad en la casa. Entonces María volvió al mundo que los hombres llamaban realidad y recordó que si a sus diecisiete años estaba bajo la tutela de su padre, pasaría luego a la de quien se convirtiera en su marido.

"Estúpidos", musitó mientras en su boca se insinuaba una mueca de desafío. María de Sanabria se dispuso a disimular las huellas de la noche de insomnio porque había tomado la determinación de arrancar una concesión inusual de su padre. Quería que don Juan de Sanabria le permitiera acompañarle a visitar al depuesto gobernador del Río de la Plata.

"María", sonrió mientras pensaba para sí, "sé perfectamente bella; mantente casi completamente callada y lo conseguirás".

La joven sabía que muchos aspiraban a suceder en el gobierno al derrocado Cabeza de Vaca. Percibía que su padre —Juan de Sanabria— noble, dueño de gran fortuna y primo de Hernán Cortés era quien más posibilidades tenía. Estaba también al tanto de todos los detalles sobre lo que se proponía, ya que acostumbraba a monologar largamente cuidando que ningún criado le escuchara pero sin que le importara la cercanía de su hija.

"Mi padre", esbozó una sonrisa irónica mientras murmuraba para sí, "no me considera más que un mueble bello incapaz de entender lo que dice. Que lo siga creyendo. Que continúe pensando que gracias a mi belleza y la de mi hermana negociará buenos matrimonios que le costarán escasas dotes y le darán nietos menos irresolutos que mi hermanastro".

Cuando se hubo arreglado y tras examinar minuciosamente su aspecto se encaminó a la sala en que su padre acostumbraba trabajar. Procuró que el desdén que le inspiraban los trofeos que don Juan de Sanabria había conseguido dirigiendo hombres desde la retaguardia ni le marcara arrugas en la frente ni se notara en su sonrisa. Se situó en un rincón con actitud de quien contempla embelesada, pero sin capacidad para discernir entre lo relevante y lo accesorio.

Don Juan recorría la habitación de un lado a otro fingiendo no haber percibido la presencia de su hija.

"Cabeza de Vaca debe ser judío...", murmuró. "Judío para tener tanto empeño en no revelar donde están los tesoros que en todo caso él no ha de disfrutar. ¿Qué puedo ofrecerle; con qué podré tentarlo?", se preguntaba una y otra vez. "Por un lado", se decía, "debo mostrarme como su más fiel amigo. Que crea que convertido en gobernador del Río de la Plata no vacilaré en ahorcar a quienes le han derrocado. Que me vea dispuesto a arrancar confesiones que prueben ante el Emperador su inocencia. Por otro lado debo ofrecerle una parte de las riquezas, tal vez la mitad, ya que en lo uno y en lo otro siempre hay tiempo de no cumplir", susurró, mostrando los dientes como si sonriera apenas con el lado izquierdo de la boca. "No ignoro", movió la cabeza en actitud de negar, "que no es lerdo ni santo y hasta un santo desconfiaría de tanta promesa ...", apretó los dientes y los abrió para exclamar:

—¡Roñoso judío!

María asistía en silencio al monólogo de su padre, que una y otra vez volvía al punto de partida sin encontrar modo de tentar y menos de conseguir que el prisionero confiara en su palabra. Juan de Sanabria se detuvo frente a la gruesa mesa que usaba como escritorio. Se sentó como buscando la protección del ancho de la madera, suficiente para impedir que alguien armado de espada le alcanzara desde el otro lado. Verificó con una rápida mirada la ubicación de la delgada lanza que siempre debía estar al alcance de su diestra. Principió a golpear la tabla con la yema de los dedos índice y anular. En tanto aumentaba la irritación por la inutilidad de sus reflexiones crecía la frecuencia e intensidad del gesto. Incapaz ya de concentrarse en elaborar un plan para la visita que haría en la tarde a Cabeza de Vaca, se levantó y empezó a pasear nerviosamente por la sala. Su mirada se detuvo un instante en la figura de su hija que se había situado junto a una armadura, como buscando resaltar la propia insignificancia.

—Tal vez, padre, tal vez quiera contarme a mí lo que no está dispuesto a deciros —aventuró María, e inmediatamente fijó sus ojos en el piso, como avergonzada de haber interrumpido.

Al relámpago de ira que brilló en los ojos de don Juan sucedió una expresión de incredulidad. Luego observó a su hija con minuciosidad y la avaricia se fue abriendo paso en su semblante. Al cabo murmuró:

—Puede se... Puede ser.

Con la excitación de quien ha conseguido vencer una grave dificultad abandonó precipitadamente el salón para regresar a él unos instantes más tarde.

—¿Por qué crees que lo podrías persuadir? —interrogó a su hija sin preámbulo.

Como si estuviera obligada a hablar contemplando la punta de sus zapatos la joven murmuró:

—No lo sé, padre, pero he escuchado decir que no hay noble en España que no sueñe en casarse conmigo...

—¡Ese hombre no es noble! —bramó Juan de Sanabria y luego agregó en tono de quien ha resuelto todo y da órdenes con seguridad en sí mismo—: ¡Nadie tiene que enterarse; nadie tiene que creer que tu visita es otra cosa que compasión por un hombre derrotado; solo tienes que gustarle!

Don Juan volvió a abandonar la sala, no sin antes exigirle que estuviera pronta cuando dieran las siete. Se alejó buscando una fórmula que no contrariara los usos sociales y que al mismo tiempo le permitiera dejar a su hija a solas con el prisionero.

A parecida hora, a quinientos pasos de allí y por tercera vez en menos de un mes, aquel sábado dieciocho de setiembre de 1546 Cabeza de Vaca esperaba la visita de don Juan de Sanabria. Desde la reducida casa que se le había asignado como cárcel observaba el vuelo de una bandada de pájaros. Siguió con la mirada la tenue "v" que dibujaban en el aire azul oscuro del final de la tarde. Murmuró pensando en la inminente visita: "pronto, Juanito, te comerán los gusanos que a esas aves han de alimentar".

Antes de ser gobernador del Río de la Plata, Cabeza de Vaca había sido curandero entre los indios de la América del norte y sabía cuándo el tiempo de una persona dejaba de contarse por lustros. Le repugnaban por igual las maneras y el carácter de Juan de Sanabria y aunque hubiera podido, nada habría hecho por torcer el rumbo de su enfermedad. Sin embargo le eran imprescindibles sus relaciones en la Corte para obtener un fallo favorable y tornar victorioso a la gobernación que le había sido arrebatada.

"La ambición, la codicia de ese miserable es mi única arma", se dijo y agregó repasando mentalmente el plan que había estado meditando: "he de venderle El Dorado o la fuente de la eterna juventud. Y si es tan avaro como parece, preferirá los metales preciosos a diez años de vida", sonrió.

Llamaron a la puerta y el único criado se apresuró a abrir. Para sorpresa del dueño de casa y al mismo tiempo inquilino de prisión, don Juan de Sanabria no entró solo.

—Ilustre don Álvar Núñez Cabeza de Vaca —saludó con cortesía exagerada al visitante—, he atendido los ruegos de mi hija María que llamada por vuestra gran fama ardía en deseo de conoceros.

El depuesto gobernador había previsto los detalles de lo que iba a decir, insinuar y callar. Se había preparado para estar frente a un individuo que suponía dispuesto a vender esposa o madre a cambio de riqueza y fama. Se había vestido de modo que su aspecto coincidiera con la imagen de hombre derrotado que deseaba trasmitir.

Durante un instante la confusión se adueñó de Cabeza de Vaca. Creía que Juan de Sanabria carecía de honor pero no esperaba que mostrara sus cartas tan abiertamente y tan temprano. Percibió que la presencia de la joven iba a impedirle decir y actuar tal como había previsto. Dudó del efecto que podían causar sus palabras habiendo un testigo, aunque Juan de Sanabria repitiera que el entendimiento de mujeres y caballos alcanzaba apenas para saber quién debía cabalgarlos. Además, María le pareció muy bella, se distrajo un instante contemplándola y por un momento se sintió ridículo en el estrecho y raído traje que vestía.

"Cuidado, Álvar", meditó sonriendo, "no es el anzuelo ni la caña, sino el cebo el que engaña... No parece de la misma madera que el viejo", dijo para sí mientras observaba de reojo a la joven. "No, no debe serlo, a menos que la madre compense con su belleza el aspecto de bacalao de este hombre", agregó para sus adentros mientras impedía que aflorara el gesto de avidez que la joven había despertado en su interior.

De inmediato recuperó su compostura habitual e inclinando ligeramente el torso les invitó a pasar. De buen humor, como quien ha perdido una cita de negocios y ha ganado otra de menor provecho pero de más interés, recibió:

—Es un doble honor, don Juan de Sanabria. Agradezco la visita de Vuestra Merced; celebro que vuestra preciosa hija se haya dignado a visitarme cuando la fortuna ha dejado de hacerlo.

Don Juan pasó, se sentó e invitó a su hija a hacerlo como quien se siente dueño de casa. Cabeza de Vaca tomó una silla, se apoyó en ella y quedó mirando al visitante, esperando que iniciara la conversación.

—Sin noticias ni de aquí ni de allí —aseguró el recién llegado y continuó—: nada ha resuelto la Corte sobre vuestra causa ni sobre mi nombramiento. Ningún ser viviente ha llegado del Río de la Plata luego que el pasado año de 1545 arribaran Vuestra Merced y los traidores que le trajeron encadenado.

—Encadenado no, que me escapé antes de llegar —sonrió Cabeza de Vaca—. La Corte tiene para mí, don Juan, misterios mayores que los muchos que guardan las selvas del Paraguay —volvió a sonreír—. Pero más que los misterios, temo que las miserias de los negocios en que entretenemos nuestros días sean tema indigno de la joven que nos acompaña —agregó con galantería.

Como si no le hubiera escuchado, Sanabria replicó:

—En la Corte creen que solo Vuestra Merced conoce los misterios que la selva encierra pero los envidiosos temen vuestro poder. Tal vez, tal vez, si creyeran que Vuestra Merced ha decidido compartir esos secretos conmigo, conseguiríamos acelerar mi nombramiento y la resolución de vuestra causa.

Durante unos instantes ambos hombres guardaron silencio. Cabeza de Vaca se preguntaba por el modo de responder sin burla o agresión. Sonrió para sus adentros mientras contenía el deseo de contestar a su interlocutor: "aunque vengas disfrazao, te conozco, bacalao". De inmediato se dijo que necesitaba aparentar que tomaba en serio la propuesta que descaradamente reclamaba ayuda para ocupar el puesto del que había sido derrocado.

"No puede ser que lo esté planteando de modo tan brutal; algo debe tener previsto", buscaba Cabeza de Vaca adivinar el juego de su interlocutor y por un momento olvidó la discreta presencia de María de Sanabria.

—Bien, bien... —intentó articular una respuesta que no descartara ni aceptara lo que se le había solicitado—. Bien —repitió por tercera vez, e iba a agregar que precisaba tiempo para reflexionar sobre asunto tan grave cuando fuertes golpes sacudieron la puerta.

—Con urgencia reclaman a don Juan en su casa —avisó un criado visiblemente agitado por la carrera. Sanabria ordenó a María que aguardara mientras enviaba una criada a buscarla, se excusó y se marchó sin más.

"Vaya, vaya", sonrió para sí Cabeza de Vaca. "Así que este era el plan. La verdad", razonó, "que lo sabía capaz de vender a la madre y a la esposa, pero lo de la hija no lo había pensado. Y...", se dijo con ironía no exenta de codicia, "si se trata de comprar puede que la hija sea mucho mejor adquisición".

Cuando Juan de Sanabria se hubo marchado María detuvo un instante su mirada en el derrocado gobernador y luego tornó a fijar la vista en el piso. Murmuró con suavidad y seguridad:

—Me avergüenza lo que piensas.

Cabeza de Vaca le miró con curiosidad. No aguardaba esa voz y menos ese aplomo. Mucho menos aún esperaba que la joven se permitiera dispensarle el trato que solo se otorga a los de la propia edad o a los muy conocidos. Sonrió con cortesía y preguntó:

—¿Qué piensas que pienso, como para avergonzarte?

—He leído tus Naufragios —contestó la joven—: sé quién eres y sé que sabes quiénes son los demás.

Halagado y sorprendido Cabeza de Vaca volvió a sonreír mientras decía para sí: "vaya vaya, la jugada de Juanito ha superado con mucho mi predicción más audaz".

Vaciló un instante y replicó:

—Estoy sorprendido; no sé quién eres.

—Sabes —murmuró la joven —que soy la enviada de mi padre que no repara en medios para obtener lo que busca.

Cabeza de Vaca se sumió en el silencio del desconcierto y tardó en encontrar respuesta. Dio media vuelta en torno a la silla sobre la que se apoyaba y se sentó. Miró hacia lo poco del río Guadalquivir que podía verse desde la habitación, movió la cabeza haciendo ademán de negar y se sujetó el mentón entre los dedos pulgar e índice. Luego, pausadamente aseguró:

—Es verdad; sé lo que don Juan de Sanabria busca, pero: ¿qué buscas tú? ¿Acaso has obedecido leyendo? ¿Acaso ha sido decisión de don Juan permitir que su hija leyera? Si así es, juro que no he entendido quién es tu padre.

—Una buena hija obedece a su padre —afirmó María—. Una buena hija desea querer lo que su padre le ordena. Pero no está en la mano ni siquiera de la mejor de las hijas querer lo que desde el alma se rechaza.

—Bella expresión —sonrió Cabeza de Vaca—. Pero no has contestado —observó.

—Aprendí a leer en libros de historias de santos, gracias a mi madre. Leí el libro de tus Naufragios y otros de grandes hechos sin que mi padre lo sospechara. Juan de Sanabria cree que se vale de mí para su propósito. Tu sorpresa y la dulzura con la que me tratas le dan la razón. Pero yo me he valido de él porque, es verdad, ardía en deseo de conocerte.

—¿Conocerme?

—Conocer al náufrago de vuestros Naufragios.

—Ya no soy aquel. Después de náufrago fui gobernador y ahora soy prisionero.

—Tal vez en distinto traje seas aquel —aseguró María con la fe de quien expone la propia esperanza.

—No, no soy aquel.

—Si no eres: ¿cuándo dejaste de serlo?

—¿Cuándo dejé de serlo? ¿Cuándo ...? No lo sé.

Sonrió mientras la expresión de su rostro evidenciaba que la nostalgia le había llevado a otras tierras. Como si volviera agregó:

—Ahora estoy preso y podría fugarme, pero me quedo para pelear por el poder y la riqueza que me fueron arrebatados. No sé, no sé cuando el aventurero que había en mí me abandonó —insistió mientras la añoranza le empujaba a navegar por otros mares y abría sus sentidos a la música de lo que había sido.

—Apenas —sonrió Cabeza de Vaca al evocar— conseguí volver de México tras nueve años de naufragio conseguí que el Emperador me mandara socorrer, descubrir y gobernar el Río de la Plata. Gasté cuanto tenía en preparar mi armada y embarqué rumbo a la costa del Brasil. De allí fui a través de mil maravillas a la Asunción del Paraguay. ¡Qué lugar!

Cabeza de Vaca rió y en su expresión relampagueó por un instante la grosería. Hizo un ademán como quien se sacude pensamientos inadecuados para la ocasión y explicó:

—Ya muchos llaman a Asunción del Paraguay el paraíso de Mahoma porque cada español se ha adueñado, quien más, quien menos, de setenta y dos indias. Las doncellas que corresponderán a cada hombre que merezca la gracia de Alá. ¡Quién podría querer allí un gobierno de justicia y de descubrimiento!

Cabeza de Vaca hizo un alto en su relato y detuvo largamente su mirada en María, tratando de adivinar el efecto que estaban causando sus palabras. Su semblante se vistió de seriedad y afirmó:

—Es mentira que hasta allí me hayan llevado el oro o el poder. Gasté cuanto tenía porque todavía soñaba en descubrir no sé que, pero en descubrir.

Volvió a interrumpir su monólogo y esta vez quedó absorto, mirando sin ver a través de la ventana. Con una sonrisa en la que brillaba la nostalgia recordó que su viaje al Río de la Plata había empezado con música y terminado con chirrido de cadenas. Se dejó llevar por la añoranza; habló del calor y de la falta de agua durante la navegación por el trópico. Recordó que antes de poner proa para emprender el cruce del océano el miedo a la sed los movió a acercarse a la costa de África.

—En completa oscuridad —entrecerró los ojos mientras contaba— una hora antes que amaneciese, estuvieron los navíos muy cerca de chocar contra unas grandes peñas. Nadie entre nosotros lo vio ni lo sintió. Entonces empezó a cantar el grillo que un soldado enfermo había embarcado para su consuelo. Hacía dos meses y medio que navegábamos y no había cantado ninguna vez pero aquella madrugada sintió la presencia de la tierra y empezó a cantar. A su música despertamos y entonces vimos las peñas que estaban a un tiro de ballesta de la nave. Es cierto, si el grillo no hubiera cantado nos hubiéramos ahogado cuatrocientos hombres y treinta caballos.

A María le pareció que las palabras quedaron flotando en la reducida habitación. También ella permaneció con los ojos entrecerrados. Volvió a soñar del modo que lo había hecho con los Naufragios y encontró en la voz a su capitán. Pero al alzar la vista recordó lo que había golpeado su corazón en el momento mismo en que Cabeza de Vaca le había sido presentado. Sus ojos le agredieron confirmando que el espíritu del naufrago estaba en el cuerpo de un hombre que empezaba a ser viejo.

—Señor, no has dejado de ser el náufrago —suspiró.

Cabeza de Vaca sonrió, negó con la cabeza e iba a contestar cuando golpes en la puerta anunciaron la llegada de la criada que venía en busca de María.

"El tiempo justo: ¡qué bien calcula Juanito!", sonrió para sí Cabeza de Vaca.

—Así es —murmuró María con voz suave pero audible. La expresión del prisionero volvió a ser de intensa curiosidad y luego, como quien ha comprendido invitó—: confío en que el interés de tu padre y tu propio deseo me permitan volver a disfrutar de tu visita.

—Así será —respondió María con aplomo y sin protocolo alguno se dirigió a la puerta. Le hubiera gustado entretenerse en un paseo que le permitiera pensar, pero sabía que su padre debía estar esperándola con ansiedad. Con una mirada ordenó silencio a la criada y utilizó los minutos que le separaban de su casa para decidir qué y cuánto diría de su entrevista.

Apenas hubo entrado, don Juan le preguntó:

—¿Has gustado a ese desgraciado?

—Me parece conveniente, padre, que os cuente como transcurrió la conversación.

—No me hagas perder tiempo.

Con una sonrisa burlona agregó:

—¿Te ha contado dónde se esconde el oro; te ha dado el mapa preciso? ¡Si no es así, basta con que me contestes si le has gustado!

Como avergonzada por haber hablado más de lo debido María contestó con humildad:

—Creo, padre, que lo suficiente.

—Puedes entonces retirarte y prepárate, porque será necesario reiterar las visitas —indicó don Juan en tono que no admitía réplica.

En actitud de perfecta humildad María se inclinó ligeramente y se marchó en silencio. La cólera relampagueaba en sus ojos mientras se esforzaba por impedir que los insultos que bullían en su mente salieran de sus labios. "Al final", murmuró para tranquilizarse, "has conseguido lo que querías".

Entretanto Cabeza de Vaca daba vueltas por la habitación, sintiéndose como dentro de una jaula. "Veamos, veamos", se repetía mientras buscaba recobrar la calma que necesitaba para analizar todos los detalles del nuevo escenario.

"Es evidente que los gusanos que no distinguen entre el bueno y el miserable, pronto se alimentarán con Juan de Sanabria. Es obvio además", continuó reflexionando, "que Juanito es tan cobarde que va a ignorarlo mientras pueda. Cree que puede ir al Río de la Plata y encontrar El Dorado como si viajara por el Guadalquivir" sonrió Cabeza de Vaca con desprecio. "Cree que yo tengo la llave de tesoros sin fin y cuanto más lo crea más hará por conseguir mi libertad. Mientras piense que cuanto busco es una parte del botín estará dispuesto a conceder. Ha de estar difundiendo ya en la Corte que estoy acabado y que aceptaré ponerme a sus órdenes. Debe estar diciendo a sus amigos que en cualquier caso, si yo insistiera en embarcar no hay que temer porque la mar está llena de accidentes. Ahora bien: ¿por qué ha enviado a su hija? ¿estará dispuesto a obligarla a casarse conmigo para darme garantías; para asegurar que no me traicionará cuando revele mis cartas?".

Por un instante se detuvo a considerarlo y al desagrado que le causaba Juan de Sanabria se sobrepuso la imagen de su hija. "Demasiados huesos", paladeó como haría un catador de buen vino, "aunque por todo lo demás, capaz de hacer temblar a cualquier hombre. ¿Y si le siguiera el juego en eso?" se mordió el labio inferior como quien está ante un plato delicioso para responderse de inmediato con una mueca: "esto del encierro me está volviendo despreciable y además, necio", se reprochó.

"No sé, no sé", repitió Cabeza de Vaca que paró de dar vueltas por la habitación y se detuvo junto a la ventana contemplando la noche. "Nada cierto podré establecer ahora y habrá que esperar", concluyó con desagrado, mientras se decía en voz alta:

—El viejo que no adivina, no vale una sardina. Y aunque —murmuró— es transparente lo que busca Juanito: ¿Qué quiere ella? —sonrió con más interés que preocupación.

Por distintas razones, padre, hija y derrocado gobernador vieron pasar con lentitud los días que mediaban hasta la siguiente visita. Finalmente se dieron y escucharon los esperados golpes en la puerta de la casa que servía de prisión a Cabeza de Vaca. María, en compañía de la misma criada entró y saludó cumpliendo con los deberes de la cortesía pero sin alegría. Con la entonación en que se trasmite un mensaje de rutina anunció:

—Mi padre me envía porque urgentes asuntos le han retenido. Solicita que lo excuses porque todavía ha de tardar unos minutos.

Cabeza de Vaca la recibió con una sonrisa no exenta de calidez. Con galante ironía replicó:

—Mucho ha de sentir tu padre el retraso para compensarlo enviando un mensajero que el más grande de los príncipes desearía recibir.

—Te burlas de mí.

—Aunque quisiera no podría porque para burlarse hace falta alguien burlado y dudo que haya mortal que sea capaz frente a ti —rió el prisionero—. Pero pasa, acepta mi pobre hospitalidad y en verdad mis disculpas. No puedo sino tratarte con familiaridad, con una familiaridad que hasta hoy raras veces he prodigado a una mujer.

—Explícate —reclamó María con la modulación de quien está confundido, pero sin que su semblante reflejara la mínima contrariedad.

—Verás —contestó Cabeza de Vaca—, pocos son los hombres que han soñado más lejos de lo que les ha sido impuesto. Sujetas a servidumbre de padres y maridos, muchas menos son las mujeres que han buscado descubrir lo que no se sabe. Que si se supiera —agregó sonriente—, no estaría por descubrir.

—No te has explicado —volvió a reclamar María— o no he entendido lo que has dicho —agregó.

—Creo que me he explicado y que has entendido pero te confunden esas palabras en boca de un hombre.

—¿Entonces, qué te hace decir que el yugo que sufren las mujeres no es natural?

—No he dicho tal, porque servidumbre he visto en todas partes aunque en unos sitios más que en otros. En España el yugo que llevan las mujeres es pesado y también es de ese modo entre los antropófagos del Río de la Plata, pero entre otros indios gozan de más libertad.

—¿Y tú que dices?

—Digo que el ansia de descubrir es una llama más o menos viva. Por lo que sea, que yo no soy filósofo, se ve muy rara vez entre los hombres y casi nunca entre las mujeres. Cuando encuentras a alguien que tiene sed de conocer hablas el mismo lenguaje aunque sea para buscar cosas diferentes.

—Dices que tú y yo tenemos un mismo idioma, incomprensible para la mayoría.

—Incomprensible por ejemplo, para tu padre.

—¿Qué quieres de mí? —preguntó María sintiendo que en la voz del prisionero resplandecía el capitán de los Naufragios.

—¿Qué quieres tú; qué quieres de mí, María de Sanabria? —replicó Cabeza de Vaca.

—Si yo supiera —suspiró María—. Leí con pasión tus Naufragios como también leí maravillada las Cartas de Relación de mi tío Hernán Cortés. Pero me fue dado conocer a mi tío y resultó un anciano sin conciencia de su decrepitud. Aprovechó cuanta ocasión tuvo para propuestas ajenas a toda decencia, para comentarios de asqueroso gusto, para mirarme como los hambrientos miran el ganado ajeno. Cuanto más grandes los hombres que me ha sido dado visitar, más han parecido pavos reales desplegando su plumaje para deslumbrarme. Temía, aunque guardaba secreta esperanza en contrario —murmuró María— que fueras uno de ellos. Te he conocido y no te has jactado de tus hazañas. Me has conocido y has descubierto que hablamos igual idioma. Sabes que eres viejo y no pareces dispuesto al juego del miserable de mi padre, que está dispuesto a entregarte mi mano a cambio de tus secretos.

—Secretos... lo que yo he podido averiguar de los secretos —rió francamente Álvar.

Golpes en la puerta sonaron como acompañando su risa y anunciando la llegada de don Juan de Sanabria. La fugaz mirada que intercambiaron Álvar y María reveló con seguridad que habían establecido un pacto, aunque ni uno ni otro podían todavía determinar su naturaleza.

María se preguntó: "¿seguirá mostrándome el mundo ahora que sabe que no me casaría con él?".

Cabeza de Vaca dudó: "¿querrá seguir viniendo ahora que he insinuado que los secretos no están tan al alcance de mi mano?".

—Espero, Señor mío, que no os hayáis disgustado por mi atraso —se disculpó Juan de Sanabria y sin más ceremonia se sentó. Agregó—: también espero que a pesar de ser insustancial os haya alegrado la vista el mensajero que os envié.

Sin otro preámbulo se dio a un largo monólogo en que refirió el buen camino que estaban tomando en la Corte sus aspiraciones.

—Si todo continúa en la senda que parece, Señor mío, seremos socios en la riqueza fabulosa del Río de la Plata —concluyó.

Agitado por la ambición se levantó y empezó a pasearse de un lado a otro de la habitación.

—Socios, socios y Vuestra Merced ganando acaso más que yo, porque le será dado recuperar la fortuna que ha invertido y el honor del que han querido desposeerlo. Socios, para disfrutar lo mejor que tiene la vida —repitió Sanabria al tiempo que guiñaba un ojo a Cabeza de Vaca y con un levísimo movimiento de cabeza apuntaba en dirección a María.

"Miserable Juanito", pensó Cabeza de Vaca manteniendo los ojos fijos en Sanabria, como si le escuchara con reconcentrada atención.

"Infame", pensó María: "¡Dios quiera que no sea tu hija!", deseó sin que se moviera un solo músculo de su rostro.

—Si es de vuestro agrado —ofreció Sanabria —continuaré enviando a María para que os comunique las novedades cuando mis negocios me impidan venir. En poco tiempo —aseguró con entusiasmo —habrá muchas cosas resueltas.

"En poco tiempo se habrá resuelto tu caso en favor de los gusanos, viejo despreciable", pensó el prisionero. Pero con entonación grave afirmó:

—Don Juan; efectivamente creo que podremos entendernos en las grandes cosas que nos están reservadas. Si vuestra dulce hija no se opone, su visita aliviará grandemente los rigores de la prisión que se me ha impuesto —agregó.

Juan de Sanabria reprimió sus ganas de lamerse el bigote por la satisfacción que le proporcionaba la aprobación de Cabeza de Vaca.

—Habrá, ilustre amigo, que ir pensando los términos de una gran capitulación —sonrió y agregó como dolido—: claro que Vuestra Merced y yo sabemos cuán inconveniente puede ser que vuestro nombre figure en ella. Hay que sopesar cuanto podría alarmar a nuestros enemigos esa circunstancia. Circunstancia poco importante si hemos de ser socios y más que socios —sonrió mirando a su hija.

Dos largas semanas pasaron para Cabeza de Vaca hasta la siguiente visita de María. La criada que la acompañaba se sentó cerca de la puerta y lejos de la sala principal. La joven pasó, saludó y se encerró en un silencio hostil.

Cabeza de Vaca habló de la lluvia, del principio del otoño y del fresco que ya empezaba a sentirse al caer la tarde. Cuando entendió que era ese un camino cerrado para retomar el dialogo bromeó:

—El navío y la mujer, malos son de conocer.

Aguardó unos instantes y cuando estuvo seguro que no habría respuesta dijo como quien piensa en voz alta:

—Yo no te he exigido que vengas y aunque mi torpeza fuera tan grande como para intentarlo no creo que haya nacido quien sea capaz de hacerte obedecer. Tu padre tiene la insensatez de presionarte en todo, pero no creo que consiga nada —sonrió.

María alzó la mirada llena de tristeza y persistió en su mutismo.

—Veamos —continuó Álvar pensando en voz alta— de qué modo puede haberte obligado a venir. No me parece que con amenazas, aunque... aunque si no fueras tú la víctima...

María levantó la cabeza y lo miró fijamente. Apretó los dientes mientras una lágrima resbalaba por su mejilla. Su semblante era la expresión misma de la tristeza pero en sus ojos brillaba la ira.

—Vaya, vaya —sonrió Álvar—. Si quieres, me lo contarás. ¿Tu madre, tu hermana, los criados? ¿Quién pagará si no obedeces?

María mantuvo la cara entre las manos y permaneció en silencio largos minutos. Al cabo preguntó:

—¿De que serviría que te contara? ¿Por qué habría de confiar en tí?

—Hija —contestó el prisionero con un destello de ironía—: debes preguntar una sola cosa por vez, que responder es difícil tarea para quien fue náufrago y gobernador.

Hizo una pausa como midiendo sus palabras y agregó con dulzura:

—No soy yo el que debe decir si debes o no confiar en mí. Tampoco puedo yo saber si servirá de algo que me cuentes pero posiblemente no empeore las cosas. Total —bromeó—, a un clavo ardiendo se agarra el que se está hundiendo.

—¿Por qué querrías ayudarme? —insistió María.

—No he dicho que quiera. Tal vez me convenga. O simplemente puede que lo mío sea la curiosidad de un preso que busca entretenimiento.

—Sabes que estás evitando contestar: ¿por qué querrías ayudarme? —volvió a preguntar dispuesta a impedir que su interlocutor eludiera la respuesta.

—La víctima debe ser doña Mencía —arriesgó Cabeza de Vaca.

—¡Qué sabes tú de mi madre! —replicó María con furia.

—Dicen que es una mujer hermosa y tú dijiste que ella te enseñó a leer sin pedir permiso. Bella y desobediente: ¿no es eso suficiente motivo para que don Juan la quiera como para seguir el ejemplo de su primo Cortés? ¿Acaso el estrangulamiento no es una manera cómoda de enviudar? —ironizó Cabeza de Vaca.

—¡Miserable! —murmuró María sin que fuera claro si se estaba refiriendo a Hernán Cortés, a Juan de Sanabria, a Cabeza de Vaca, o a los tres.

—Mucho sé de estrangulamientos, que mucho me ha costado evitarlos —sonrió, y su rostro se ensombreció como el de quien recuerda lo que ha dejado en tierras remotas.

—¡Qué quieres de mí! —preguntó María con un murmullo en que brillaba la urgencia.

—Imagina que quisiera un aliado.

—Sabes que el aliado ya lo tienes porque aunque seas tan despreciable como Juan de Sanabria, ni eres mi padre ni puedes moler a palos a mi madre, ni amenazarme con que se librará de ella usando igual procedimiento que su primo —replicó María con desprecio.

"Vaya, vaya con don Juan", murmuró Cabeza de Vaca. "¿Es seguro que Cortés estranguló a su mujer?", preguntó y al ver la mirada de fastidio de María se contestó, "qué más da; si no lo hizo bien pudo hacerlo".

Luego se levantó, empezó a dar vueltas por la habitación, se detuvo frente a la ventana y absorto, dejó que su mirada se perdiera tras el vuelo de los pájaros.

—Tu padre está enfermo: ¿lo sabes? —reanudó Cabeza de Vaca el diálogo.

—No quieras causarme lástima.

—Nada más lejos de mi ánimo pero: ¿lo sabías?

María bajó los ojos confundida y preguntó:

—¿Por qué lo dices?

—¿Lo sabes o no lo sabes?

—No —contestó María, como quien ha sido sorprendido en una falta.

—Vivirá tal vez para que le nombren gobernador; puede que llegue a embarcar y aunque consiguiera atravesar el océano nunca podría con los cinco meses de marcha por la selva llena de antropófagos al acecho. Tu padre no descubrirá los secretos del Río de la Plata porque no llegará.

—Dios te oiga —murmuró María y se sumió en un profundo silencio.

"Vaya, vaya; cuánto ha de aborrecerlo", se dijo Cabeza de Vaca que se sumió en su propio mutismo, mientras buscaba entre sus odios antiguos y recientes alguno de semejante intensidad. Tras escudriñar infructuosamente en su interior, aseveró:

—Te ayudaré.

María salió de su ensimismamiento, agradeció con una sonrisa en la que brillaba la tristeza y quedó como aguardando los términos del auxilio prometido. En eso las campanas de las setenta iglesias de Sevilla anunciaron que se había cumplido el plazo al que María debía ceñir su visita.

—Te ayudaré —repitió Álvar a modo de despedida—. Si te hace falta di que dije alguna cosa sobre el mapa de la ciudad de César y el camino al territorio del Rey Blanco.

—¿De Julio César?

—No —rió Cabeza de Vaca—. Cesar fue un capitán que llegó al Río de la Plata en 1536, con la armada de Mendoza. Salió a descubrir y se alejó muchas semanas durante las que perdió todos sus hombres. Regresó tan enfermo como cargado de metales preciosos. Murió sin recuperar el habla para indicar de dónde los había sacado.

Luego de un instante de vacilación tomó un manojo de papeles manuscritos y de espaldas a la entrada de la sala señaló:

—Ni siquiera conviene que tu criada lo vea; estos Comentarios que te doy son los de mi gobierno en el Río de la Plata.

María se aproximó, los tomó, los ocultó entre los pliegues de su ropa y aprovechando la cercanía abrazó larga, cálidamente al prisionero. Cabeza de Vaca titubeó, sonrió llevado por el recuerdo y dijo: —dejé en Asunción del Paraguay una mujer que hizo lo indecible por evitar que añadieran arsénico a mi comida durante los meses en que estuve encadenado. Ni siquiera pude agradecerle porque hacerlo era condenarla ante los traidores.

María lo miró con dulzura a modo de despedida y abandonó la casa.

Cuando quedó solo Cabeza de Vaca se dijo: "Es la primera vez que hablo de ella", y se abandonó a la nostalgia. Hacia la otra margen del Guadalquivir la puesta de sol se estiraba en los últimos tonos azul oscuro que precedían a la noche pero el depuesto gobernador vio como anochecía su último día de libertad a la vera del río Paraguay. Salió de su ensimismamiento y se dijo: "se parece a ella. Ah, si tuviera veinte años menos... Pero no", se contestó a sí mismo, "ahora sé que habito un cuerpo que impide unas cosas y reclama otras. Si tuviera de nuevo la juventud", murmuró mientras entornaba los ojos y se dejaba llevar por la nostalgia, "ya me habría fugado".

Entonces con la intensidad del rayo se preguntó: "¿y si coopero con ella para ir escondido en la expedición que pagará pero no aprovechará su padre?".

Entretanto, María apresuró el paso rumbo a su casa. Se movía ligera, eufórica, llevada por la sensación de libertad que la noticia de la enfermedad de su padre le proporcionaba. "¿Lo sabrá verdaderamente Cabeza de Vaca?", se inquietó mientras procuraba sin éxito reprocharse su falta de compasión. Durante un instante sintió la punzada de los celos por la mujer que tal vez aguardaba en Paraguay el regreso del gobernador depuesto. Al momento sonrió y se dijo con cálida admiración por el náufrago: "¡si tuviera un cuarto de siglo menos!".

Una vez en casa contestó con la acostumbrada sumisión al breve interrogatorio de don Juan de Sanabria, mientras procuraba descubrir los síntomas de la enfermedad. Cuando le fue permitido se retiró a fantasear con lo que el destino ponía en sus manos. Participó de la gloria del primer viaje y junto a Colón se preguntó si las Indias eran el Paraíso. Dominó los gigantes que habían atribulado a Vespucio. Se puso al timón de la nao Victoria en las horas más difíciles de Magallanes y Elcano. Alzó su espada junto a Cortés y Pizarro para poner imperios al servicio de la cristiandad. Asumió la defensa de los indios preparando los discursos de fray Bartolomé de las Casas.

Entonces llegó hasta ella el rumor sordo de golpes y la voz apenas audible de quien luchaba por ahogar sus gritos. El sonido la expulsó de su sueño y la depositó con brutalidad en su habitación. Alzó y apretó el puño con la rabia del que desea golpear. Lo bajó, lo puso a la altura de su cara y lo mordió para contenerse. Se dijo que debía guardar silencio como tributo hacia su madre que otra noche más estaba dispuesta a perder la vida sin regalar una lágrima al verdugo.

"Ah, madre, pronto la parca vendrá a librarte del que en mala hora te dieron por marido", se dijo tratando de calmarse y encontrar consuelo. Quiso volver a viajar con los grandes marinos pero no consiguió soltar amarras. Recordó que se veía junto a fray Bartolomé de las Casas y murmuró: "¿acaso soy mejor que mi madre? ¿Por qué he de aguardar un destino mejor? ¿El convento y la santidad son el único refugio al que puedo huir para escapar a este infierno?".

Cuando los golpes cesaron María lloró de rabia por la suerte de su madre y luego derramó lágrimas de amargura por la propia. Se tumbó en la cama y al hacerlo la incomodidad le recordó que había escondido bajo las mantas los Comentarios que le había dado Cabeza de Vaca. Tomó el manuscrito de su gobierno del Plata, aunque no tuviera sino ganas de abandonarse a su pesar. No obstante atinó a hojearlos y sin transición la lectura la transportó a la mar, a la costa del Brasil, a la selva del Paraguay. Amó a Cabeza de Vaca por su valor, por su sentido de la justicia, por su sed de descubrimiento. Le fascinó que en su relato encontrara espacio para contar las maravillas del camino y lugar para dialogar con los indios. Se sintió amiga de quienes le habían sido leales y en especial de la mujer que había impedido que le envenenaran.

La lectura le había permitido aguardar el largo tiempo entre la golpiza que había recibido su madre y el silencio de una casa en que todos dormían. Su corazón latía aprisa cuando principió a recorrer los largos pasillos, descalza y en punta de pie. En el camino juró en silencio: "¡seré yo quien lleve la expedición; quien descubra los misterios de las selvas del Paraguay; quien pacifique a los antropófagos y quien pacte con las amazonas!".

Abrió la puerta sin el mínimo ruido, se inclinó a abrazar a su maltratada madre y lloró junto a ella. Cuando se retiró volvió a dar rienda suelta a su imaginación. Evocó las historias de santas y heroínas pero no encontró en ellas su propia imagen.

"Las unas", se decía, "porque para gloria de Dios han dejado de ser mujeres; las otras porque buscando la propia fama, han abominado de su condición y se han disfrazado de hombres. ¡No quiero ser hombre!", se repitió hasta que la venció el cansancio y se durmió atribulada por la insalvable contradicción entre sus sueños de mujer y de grandeza.

Los días que siguieron le atormentó la duda propia de quien ha decidido arriesgar todo en una empresa audaz, para cuya ejecución precisa cooperación y debe decidir en quien confiar. De cuantas personas consideró, solo su madre le parecía completamente de fiar y sabía que eso no bastaba. No podía revelarle sus propósitos antes que estuvieran encaminados porque Mencía, llevada por su afán de protegerlas se pondría en contra. Tras analizar la propia situación, no encontró otra solución que confiar en Cabeza de Vaca.

"No ignoro", murmuraba, "que es demasiado pronto para depositar plena fe en ese hombre pero: ¿qué alternativa tengo? Además", agregaba para tratar de justificar su decisión, "yo puedo ayudarle a evitar que el triunfo de mi padre se transforme en su ruina. Y en todo caso: ¿qué gran empresa puede llevarse adelante sin quemar algunas naves? Pero: ¿qué puedo ofrecerle a cambio de su ayuda?".

María se desesperaba porque no encontraba respuesta al principal punto débil de su plan y entretanto se acercaba el día de la próxima visita al prisionero. Había decidido confiar en Cabeza de Vaca pero se preguntaba constantemente: "¿qué podré ofrecerle a cambio? ¿De qué modo puedo garantizarle que cumpliré con lo que le prometa?", sin encontrar ninguna solución.

En ocasiones maldijo haber adelantado que no se casaría con él, para después sentirse tan ruin como su padre. Urdió infinidad de propuestas y todas se desmoronaron porque no había forma de asegurar la propia lealtad. Sin haber conseguido encontrar una solución, se presentó como estaba convenido, a las cinco en punto del último sábado de octubre, en la casa en que estaba recluido Cabeza de Vaca.

—Vaya, vaya, otra vez don Juan —murmuró a modo de bienvenida y comentario sobre el desaliento impreso en el rostro de la joven.

—Temo que esta vez no. Asuntos en la Corte han reclamado la presencia de mi padre.

—¿Entonces?

María le miró largamente a los ojos. Por un momento pensó fingirse apasionada pero al instante lo descartó con un gesto de ira y casi al tiempo la vergüenza coloreó su rostro. Luego bajó la cabeza como si su único interés fuera mirar la losa sobre la que apoyaba sus pies y se refugió en el silencio.

Cabeza de Vaca volvió a sonreír y se acercó a la joven. Con delicadeza impropia de manos tan trabajadas por las penalidades le rozó la mejilla. Con el dorso de sus dedos presionó ligeramente desde el mentón reclamando que alzara la cara. María obedeció y permanecieron muy cerca mirándose el uno al otro.

—Vaya, vaya, cuánta tristeza hay en esos ojos —sentenció sin dejar de sonreír—. ¿Por qué no me cuentas; qué puedes perder?

—Bien —suspiró María—. Tal vez en lo que diga lo pierda todo, pero en realidad todo es nada sin tu ayuda.

—Vaya, vaya —murmuró una vez más Cabeza de Vaca mientras la alentaba con una ancha sonrisa.

—Tú dices que mi padre morirá antes de llegar al Río de la Plata y a Dios pido que así sea. Dice mi padre que nunca te dejarán volver allí porque todos temen tu poder.

—¿Y entonces?

—Dirás que estoy loca.

—¿Y?

—Yo quiero ir.

—¿En qué expedición?

—En la mía.

—¡Estás loca! —ríó Cabeza de Vaca aunque sus sonoras carcajadas no contenían burla.

—¡En la mía! —insistió María que agregó—: por la memoria de la mujer que impidió que te envenenaran y tuviste que dejar en Asunción. Por los que padecieron y padecen por serte leales.

—Veo que has leído con atención mis comentarios del gobierno del Río de la Plata —rió con la expresión de quien ha recibido un gran halago.

—¿Me ayudarás? —interrumpió María con intensidad.

Una sombra se posó sobre el rostro de Cabeza de Vaca mientras la risa lo abandonaba y las arrugas apenas insinuadas de su frente se tornaban surcos. Al cabo aseguró:

—Son muchos los que han reclamado mi ayuda para sucederme desde que estoy en prisión. Eres entre todos la primera que en lugar de oro para mí, ofrece esperanza para los míos. María de Sanabria —preguntó Cabeza de Vaca con voz grave—: ¿qué quieres?

—¿Qué quiere un hombre cuando no lo empuja la miseria e igual se lanza a empresas llenas de peligro?

—Muchas cosas. Fama en el presente y que la memoria de sus hazañas atraviese invicta los tiempos. Riqueza y poder. Servir al Emperador y al Rey de reyes. La emoción del peligro y la emoción del descubrir. Más unas que otras, pero yo he querido y quiero todas esas cosas. Y más, cuanto más lejos de mi alcance.

—¿Puedes imaginar cuán lejos del alcance están esas cosas si eres mujer?

—Hay mujeres que se han disfrazado de hombre y se han alistado en notables causas.

—Me dices que la única solución para una mujer es dejar de ser mujer.

—También las hay santas.

—También las santas dejan de ser mujer; tu respuesta sigue siendo la misma.

—¿Qué pretendes?

—¿Es acaso la mujer que te guardó diez meses del veneno y del puñal asesino menos leal, valiente o esforzada que el mejor de tus hombres?

—No, pero: ¿adónde quieres llegar?

—¡No quiero ser hombre; no quiero renunciar a ser mujer! —exclamó María con una vehemencia que sorprendió a Cabeza de Vaca. ¡De ti dependo; si me ayudas llevaré esa expedición al Río de la Plata!

—¿Qué me darás a cambio?

—Todo lo que pidas.

—¿Todo?

—Todo, aunque me pidieras lo que no deseo darte.

Cabeza de Vaca la miró con simpatía y entusiasmo. Aseguró sonriendo:

—Celebro tu coraje. Y tu espíritu de sacrificio —agregó irónico. Volvió a sonreír y afirmó: —No será fácil, pero pensar en las dificultades de la mar y la selva me rejuvenece. Pero no te alarmes, que no tanto como para pedirte lo que no deseas darme —bromeó.

María lo miró con furia y fue a contestarle con un insulto pero se detuvo y rompió a reír:

—Me ayudarás —repetía mientras reía y en su rostro brillaba la ilusión.

—Habrá que revisar una y otra vez los detalles, que tu padre es vil pero no lerdo —observó Cabeza de Vaca.

Con la referencia a Juan de Sanabria, María volvió a la realidad y afirmó:

—Todavía no me has dicho qué quieres a cambio; tampoco me has dicho qué ha de hacerse.

—Olvida lo primero por ahora, ya que estás dispuesta a concederme todo y no puedes garantizarme nada —bromeó Cabeza de Vaca. Luego de una pausa agregó—: María de Sanabria; bien sabes que he visto y vivido muchas cosas extraordinarias. Ven —pidió.

La joven obedeció de modo que se situaron frente a la ventana y en una posición desde la que no podían ser vistos por los criados.

Cabeza de Vaca se inclinó, tomó una botella de vino, sirvió dos copas, se quedó con una, alcanzó la otra a la joven y explicó:

—Doblemente afortunado me siento; he vibrado al son de las más grandes aventuras y desventuras. Y ahora, cuando ya no esperaba nada que pudiera sorprenderme, apareces tú.

El prisionero alzó su copa y la joven le acompañó en el gesto. María le miró a los ojos y por un instante pensó que lo daría todo por tener un padre así. Cabeza de Vaca la contempló y se dijo:

—Si hubiera sospechado que era posible encontrar una mujer con quien compartirlo todo, tal vez no hubiera vuelto a embarcarme.

Sonrió, como considerando con escepticismo lo que había pensado y con ademán de quien ha vuelto a la realidad alzó su copa y brindó:

—Por tí, María de Sanabria, y por el éxito de la expedición, que hoy son la misma cosa.

María fue a agregar alguna palabra que incluyera a Cabeza de Vaca en el brindis, pero el prisionero colocó un dedo sobre su sonrisa como asegurando que con lo dicho bastaba. De inmediato, como quien se ha puesto a trabajar aseguró:

—Mientras nadie sospeche los términos de nuestro acuerdo, no será difícil llevarlo a la práctica. Don Juan de Sanabria debe creer que he cambiado de actitud por la insinuada promesa de matrimonio. Así le parecerá normal que mis amigos dejen de trabar su capitulación con el Emperador. Yo no puedo conseguir nada para mí mismo —reflexionó Cabeza de Vaca— pero continúo siendo capaz de obstaculizar el camino de otro. Por una parte porque en la Corte saben que me asiste el derecho. Y por otra parte porque el camino al Río de la Plata es empresa harto difícil sin la cooperación de los capitanes que no están dispuestos a traicionarme. Sin mi oposición, tu padre lo conseguirá. Después —agregó Cabeza de Vaca con un destello de ferocidad— habrá que retrasar un poco la partida, esperando que muera y le suceda su hijo Diego, cuya irresolución nos asegura que no estará realmente al mando.

—Tienes —continuó Cabeza de Vaca trazando en voz alta su plan— que encontrar una manera de hacer saber a tu padre que yo exijo que la vara de alguacil mayor recaiga en quien se case contigo. Y que es necesario que ello se estipule en la capitulación y en su testamento. Se enfurecerá pero terminará cediendo —pronosticó.

Agregó sonriendo:

—Confío plenamente en tu habilidad. Siempre que no olvides asegurarle que estás dispuesta a traicionarme y que serás siempre obediente a lo que él decida.

Satisfecho con el plan cuyas grandes líneas había expuesto, Cabeza de Vaca se detuvo a sopesar las principales dificultades. Tras una pausa, aseveró:

—Deberás obedecer en todo a tu padre, que seguramente encontrará conveniente que me visites con menos frecuencia.

Y agregó llevándose con ironía una mano al corazón:

—Así le será más fácil seguir sugiriendo que te obligará a casarte conmigo.

Luego, con un tono inesperadamente solemne vaticinó:

—Muchas veces no podrás pedir mi consejo; triunfarás o fracasarás por lo cerca que te sitúes del punto mágico entre la prudencia y la resolución. A propósito —cambió de tema recobrando cierta ironía en el gesto—: ¿estarías dispuesta a cooperar con la enfermedad de tu padre si por sí sola demorara en hacer su obra?

Por último, a modo de despedida agregó:

—Perdona que cambie a un asunto tan diferente. Belleza, inteligencia y temple no te bastarán, porque la juventud jugará en tu contra: ¿en quién de tu gente puedes confiar?

II

En el Consejo de Indias se temía por la suerte de los españoles que habían quedado aislados en el interior del Río de la Plata. Se dudaba que escasos cientos de hombres fueran capaces de defenderse frente al embate de decenas de miles de indios antropófagos. Se sabía de las dificultades que provocaba la escasez de hierro y pólvora. Se evaluaba que la falta de regalos para contentar y dividir a los indios podía determinar la pérdida de un inmenso territorio. Se conocía que era mucho más difícil derrotar infieles que ya conocían a los españoles. Los del Real Consejo temían también por lo que pudieran hacer los amotinados que habían derrocado a Cabeza de Vaca. Se preguntaban que ocurriría si encontraban El Dorado, del que se les suponía cerca. Procuraban adivinar si los efectos del aislamiento sumados a los del temor al Real castigo podían inducirlos a crear un reino independiente o acaso, ponerse bajo la protección del Rey de Portugal.

Los del Consejo de Indias estaban determinados a reestablecer el orden que había quedado roto el día en que Cabeza de Vaca fue derrocado. Roto pero no destruido, porque los amotinados no se habían atrevido a ahorcar a un gobernador nombrado por Su Majestad. Si no hubiere castigos —conjeturaban— y si quien fuere nombrado por el Emperador para reemplazarlo llegara con armada suficiente le aceptarían de buena gana. Así se creía en la Corte, carente sin embargo de recursos para invertir en empresa de tanto riesgo. Por eso era necesario capitular, convenir o contratar con un noble que pagara en su totalidad los gastos. No importaba concederle enormes atribuciones como gobernador, mientras la Corona no invirtiera un maravedí y resultara garantía de reestablecimiento del orden. Quedaban sin embargo los problemas relacionados con la justicia del reclamo de Cabeza de Vaca. La ignorancia de sus derechos podía desalentar a los particulares que arriesgaban vida, honra y hacienda conquistando y colonizando por cuenta del Emperador. Por ello, las señales que el depuesto gobernador empezaba a emitir en el sentido de no oponerse a otra capitulación mientras se dirimía la causa en la que estaba involucrado, fueron recibidas con gran satisfacción. El mejor situado entre los postulantes —don Juan de Sanabria— empezó a percibir que con toda facilidad desaparecían los obstáculos que le separaban de la firma de esa ventajosa capitulación. Se restregaba las manos como sintiéndose dueño de fortuna tan inmensa como las que México y Perú habían deparado a Cortés y Pizarro. Se sentía intensamente satisfecho consigo mismo por la astucia desplegada. Había sopesado la exigencia de Cabeza de Vaca para que la vara de alguacil mayor recayera en quien se casara con María y había terminado encontrando que todo convenía a sus intereses.

"De ese modo", se decía, "mantengo las expectativas de Cabeza de Vaca que luego me será fácil no cumplir. Además consigo sin que me cueste nada una buena dote para propiciar el conveniente matrimonio de María. En suma", se relamía de satisfacción, "la vara de alguacil sumada a mi ilustre apellido alcanzará un excelente precio. ¡Media flota me equipará ese matrimonio si el que paga no es cristiano viejo! O al menos María valdrá como mínimo una carabela...".

Don Juan de Sanabria regresó de la Corte al principio del nuevo año de 1547. Aprovechando su excelente estado de ánimo, María se atrevió a preguntar por la continuación de las visitas a Cabeza de Vaca.

—Ahora no —ordenó Sanabria sin siquiera alzar la vista, y como quien está fastidiado por la inoportuna interrupción de un subalterno, hizo gesto de volver a su trabajo. No obstante alzó la cabeza, miró detenidamente a su hija con la atención que podía haber puesto al contemplar su caballo favorito y refunfuñó—: Dios: ¿por qué les has dado la palabra? ¿Acaso —continuó esta vez dirigiéndose a su hija— has creído que por haber visitado a Cabeza de Vaca, has entendido algo?

Don Juan sonrió mientras se daba ligeros golpes en la palma de la mano con una fusta:

—Limítate a ser bella... y a estarte callada, que si no, ya me ocuparé de advertirle a quien yo decida que sea tu marido, el modo en el que hay que tratarte.

Un instante más tarde, con ademán colérico indicó a su hija que dejara de interrumpirle.

—¡Ya te indicaré yo cuando debes visitarle!

María se retiró sumisa y silenciosa. Mientras volvía a su habitación pensaba: "¡con qué gusto le rompería la cabeza!".

De inmediato acudió una vez más a su mente la pregunta que se había formulado mil veces desde la última visita a Cabeza de Vaca: "¿lo envenenaría... envenenarlo a sangre fría?", se inquietó. Una vez más no encontró respuesta y nuevamente decidió dejar de atormentarse. "Si las predicciones son exactas no será necesario y si lo es, ya se verá", se respondió. Luego continuó cavilando: "¿y Cabeza de Vaca: por qué quiere ayudarme; qué trampa puede estar tendiéndome?", y al igual que en muchas ocasiones anteriores, aventuró tantas hipótesis que dejó las preguntas sin respuesta.

Ya en su habitación la duda volvió a martillar su interior: "¡En quienes confiar!", se repetía una y otra vez sin conseguir tomar una decisión. "En primer término", se decía la joven, "en mi madre, pero mi madre tiene tanto miedo a que me ocurra algo, que se opondrá a cualquier cosa que suponga un peligro para mí. ¡Pobre madre mía; ella sí que lo envenenaría sin vacilar si no temiera dejarnos desamparadas a mi hermana y a mí!".

María caminaba por su habitación como si estuviera enjaulada. Procurando tranquilizarse decidió dar un paseo. Se dijo que aunque era hora fuera de lo habitual podría pretextar el deseo de ir a la novena que se celebraba en honor de un pariente difunto y sin más ordenó a una criada que se preparara. Murmuró para sí: "seguro que en menos que canta un gallo van con el cuento de esta salida a mi padre pero: ¿quién es su principal espía?".

Repasó uno a uno los criados que le parecían sospechosos sin encontrar el modo de identificar al confidente de su padre y menos, la manera de castigarlo. Se mordió ligeramente el labio inferior, negó con la cabeza y murmuró: "De momento es mejor salir, que ya se me ocurrirá algo", y continuó arreglándose para ir a la iglesia. Se contempló mientras se peinaba y satisfecha con su aspecto, prometió a la propia imagen:

—Ya pillaré a ese bellaco.

—¿Has perdido el juicio? —escuchó María. Alzó la mirada y encontró la sonrisa de su madre reflejada en el espejo.

—Voy a la novena. ¿Vienes? —invitó.

—Pregunté si has perdido el juicio por decir a voces que a un bellaco has de pillar y ahora pregunto por qué me invitas a una novena en horas de guardar —canturreó Mencía poniendo énfasis en la rima. Su rostro se iluminó y preguntó—: ¿Por qué quieres ir? ¿Con qué excusa?

—Te dejo, madre, la elección del pretexto —le contestó mientras su sonrisa se reflejaba en el espejo.

Una hora más tarde, convenientemente arregladas y con la compañía de las respectivas criadas se dirigieron a la iglesia alargando en lo posible el paseo. Lo que se veía, escuchaba, olía y adivinaba del intenso movimiento en los embarcaderos y en las naves ancladas devolvió como un soplo la paz de espíritu a María. "Es evidente", se dijo, "que si me dejo llevar por tribulaciones menores cuando todavía no he salido de puerto, nunca habré de conseguirlo".

Sonrió, como quien se ha liberado de un gran peso y afirmó para sí: "no puede llevarse a cabo una gran empresa si no se es capaz de disfrutar con el juego que implica".

Feliz, continuó caminando junto a su madre al tiempo que mantenía sus sentidos abiertos a cuanto provenía del Guadalquivir, en cuya suave corriente vio la puerta de salida a su gran aventura. "¡Sacude esa cara de preocupación!", reclamó, mientras pensaba: "qué bella es todavía mi madre".

—¡Qué guapa eres, madre! —le dijo sonriendo con intensidad contagiosa.

Mencía empezó a articular una respuesta. Miró a María, fue a hablar pero se detuvo; volvió a mirarla y esta vez le devolvió la sonrisa. La hija tomó del brazo a su madre y así continuaron el camino hacia el templo. En María bullían tan grandes propósitos que por un momento contagió de esperanza a Mencía. Sin embargo, desde antes de salir de la iglesia, el pesimismo había vuelto a apoderarse de ella. Miraba a su hija y en sus ojos se advertía un torbellino de emociones encontradas. Se vio a sí misma con quince años justo antes del mal año de 1529. Vio en la de la joven, su propia imagen cuando la casaron con don Juan de Sanabria y todavía acostumbraba a reír. La ilusión que había en María despertó su añoranza por la que la vida despertaba entonces en ella. Feliz por la belleza de su hija, evocó la que ella tenía entonces. Pensó en su situación presente y la comparó en los fugaces instantes en que la existencia le había sonreído. Le dolió el recuerdo de las mil oportunidades en que había querido morir y la forma en que poco a poco se había hecho resistente a palizas e insultos. Entonces sus ojos encontraron los de María y se sacudió con un estremecimiento de rebeldía:

—¡Tú no, tú no! —exigió al destino.

—Desvarías, madre —bromeó María—. Y baja la voz, que en la calle estamos.

—Ah, hija... ¡Cómo quisiera que solo fuera desvarío!

—¿Qué dices?

—Casarte.

—¿Mejor vestir santos? —sonrió María.

—No sé, no sé, hija. Parece que a cierta edad se puede aceptar incluso con ilusión a quien te imponen como marido. Por la novedad, por la misma novelería que me llevó a no resistir cuando decidieron entregarme por fiel esposa de tu padre —dijo como si no acabara de creerlo.

A María se le antojó que había vacilación e incluso ironía cuando Mencía se refirió a su carácter de fiel esposa, pero desvió su atención a lo que preocupaba a su madre y preguntó:

—¿A qué viene todo esto?

—Temo que tu padre tenga prisa en casaros a tu hermana y a ti para conseguir más medios para su gobierno del Río de la Plata.

—¿Y?

—Cuando habla dormido por las noches te negocia como quien merca su hacienda. Intenta venderte como quien ofrece un bocado tierno a un anciano sin dientes.

—¿Cuándo? —se inquietó María.

—Apenas consiga capitular —murmuró Mencía con amargura.

—Y tú, ¿qué harás? —le increpó María.

—¿Qué podría hacer yo?

—Si pudieras, ¿qué harías?

Mencía miró a su hija como si un hilo la sujetara a la esperanza y contestó:

—Todo lo he aceptado y llevo mi propia cruz con resignación. Pero tú no, María, tú no. Si hubiera algo que hacer: ¡Dios me perdone! —se persignó— arriesgaría mi alma por evitar un destino así para ti.

Al cabo movió tristemente la cabeza como negando y preguntó:

—¿Pero qué, que no sea el refugio de un convento?

Ante la atónita mirada de su madre, los ojos de María se iluminaron..

—Madre —invitó— alégrate conmigo que he de hablarte de un hilo que aunque delgado, nos une a la esperanza.

—Si no fueran demasiadas las pruebas de tu buen tino e inteligencia diría que quien desvaría eres tú.

—¿Amas a tu marido? —cambió bruscamente María de tema.

—¿Amar? —sonrió tristemente Mencía.

—¿Le quieres, le respetas, le obedeces?

—Como el esclavo al látigo del amo.

—¿Le echarías de menos?

—¡Qué dices! —exclamó Mencía aterrorizada.

—Si Dios tuviere a bien llamarle a su lado —moderó María su pregunta—: ¿le echarías de menos?

—¿Qué quieres preguntarme?

—¿Si estuviera enfermo, lo lamentarías?

Mencía demoró unos instantes en contestar y luego respondió con seguridad:

—Dios te oiga —y llena de inquietud por lo que había dicho, atenazó el brazo de su hija.

María cerró el puño como amenazando al aire. Luego lo llevó suavemente hasta colocarlo bajo la barbilla de su madre imitando el gesto de quien golpea a un oponente. Presionó levemente hacia arriba hasta que sus miradas coincidieron y expresó su certeza:

—¡Tu marido no vivirá para obligarme a casar ni para llegar al Río de la Plata!

—Dios te oiga —volvió a murmurar Mencía, que agregó—: ¿pero qué sabes tú de todo eso?

—Ya te contaré, madre, que estamos en la puerta de casa y ni es bueno que lleguemos hablando de estos temas, ni conviene que en nuestros rostros luzca la esperanza.

Apenas hubieron traspuesto el umbral dieron de lleno con la atmósfera cargada de malos presagios. La cara llorosa de la hermana de María y el rostro demudado de terror de la servidumbre anunciaba la cólera del amo. Madre e hija intercambiaron una mirada llena de inquietud pero no se detuvieron. Apresuraron el paso hacia sus habitaciones pero en el camino les aguardaba quieto, erguido, silencioso, con las manos en la espalda, Juan de Sanabria. Bajo sus párpados entornados se adivinaba el íntimo placer que le causaba su capacidad de generar miedo. Sanabria abrió los ojos y paseó largamente la mirada sobre las dos mujeres, como quien se detiene observando las imperfecciones de un trabajo mal realizado. Hizo luego una mueca, como si estuviera obligado a comer un plato nauseabundo y volvió a observar parsimoniosamente a las mujeres. Su furia aumentaba al no conseguir que el silencio se volviera insoportable para las víctimas. Su mandíbula se contrajo, su rostro enrojeció e incapaz de continuar dominándose, descargó un puñetazo contra la palma de su mano izquierda. Con un movimiento de cabeza ordenó a su hija que se retirara y con un ademán cargado de grosería, obligó a Mencía a marchar hacia su habitación de trabajo.

María vio alejarse a su madre que sin osar volver la vista caminaba con la rigidez del que sabe que un golpe vendrá, pero no puede adivinar de dónde ni cuándo. Alcanzó a escuchar a Juan de Sanabria decir:

—¡Siempre en la calle! Tan puta la madre como la hija; no sirven sino para engordar a costa de mí hacienda. ¡Ya pondré yo remedio a ello!

La joven, temblando de ira, continuó el camino que se le había ordenado. Avanzó unos pasos, se detuvo y dio

media vuelta resuelta a intervenir sin pensar en las consecuencias. Entonces su mirada chocó con la expresión de
pavor que se había adueñado del rostro de su hermana y su
rabia se transformó en fortaleza e instinto de protección.
"Si has de hacer algo por ella", se dijo, "es preciso que lo
hagas bien".

Sin todavía tener claro lo que se proponía hizo un gesto
a Mencita para que se retirara en silencio. De inmediato
alzó la mano para que se detuviera, se aproximó a ella, la
abrazó, la besó en la frente y volvió a requerirle que se retirara sin hacer ruido. Mientras lo hacía le pareció sentir que
la observaban e instintivamente giró la cabeza. Alcanzó a
distinguir la silueta de un criado que en ese instante terminaba un ágil movimiento para colocarse tras una columna y
quedar fuera de su vista.

—¡Tengo que saber quién es; mataré al miserable que
espía para mi padre! —se prometió e hizo ademán de
volver sobre sus pasos.

Tras un nuevo segundo de vacilación concluyó que sus
posibilidades de alcanzarlo antes que pudiera ocultarse o
mezclarse con otros de la servidumbre eran mínimas y se
dijo: "será mejor fingir que no he notado que me vigila; ya
lo pillaré y entonces... ¿entonces qué?", se preguntó a sí
misma, sabiendo que carecía de poder para castigar a un
criado sin la anuencia de su padre.

Caminando de puntillas siguió hacia la puerta de la
habitación en que estaban Sanabria y Mencía. Llegó a
tiempo para escuchar la voz amenazante de don Juan:

—¿Quién te ha autorizado a salir? ¡Quién! —volvió a
gritar preguntando y ordenando silencio a la vez. Tomó una
fusta, alzó el brazo, una mueca sarcástica iluminó su rostro
y como demorando el momento de ir por el postre interrumpió el gesto.

Se sentó, se reclinó para estar más cómodo guardó un
largo silencio. Luego golpeó suavemente con la fusta en su

palma izquierda y como continuación de lo que había dicho al principio, sonrió y aseguró:

—Ya tengo la solución. ¡Y tú me ayudarás! —agregó poniéndose de pie para cargar aún más de amenaza sus palabras.

—Pronto —continuó— me devolveréis con creces los favores recibidos. Tú, amada mía —aseguró con voz aterciopelada— el que haya tenido que fornicarte algunas veces para tener dos hijas que valdrán dos buenos casamientos. Así y con poner tu dote al servicio de mí armada empezaréis a pagar lo que me debéis. ¿Verdad, señora mía, que no te negarás? En cuanto a tus hijas —sonrió con grosería— son demasiado hueso a pesar del pan y la carne, el aceite y los dulces que están consumiendo a toda hora. Y aunque no pienso malgastar en dotes abundan los muy viejos y ricos, con sangre mora o judía. Ellos no repararán mucho en detalles, con tal de emparentar con un buen apellido. Empezaré —aseguró con parsimonia, como deleitándose con el efecto de sus palabras— con María. Ya lo tengo preparado, pero no puedo darme prisa y no quiero que con vuestras salidas a deshora consigan una fama de putas que me pueda perjudicar. No puedo —sonrió— permitir que la mala fama me juegue una mala pasada. No dejaré que el anciano caballero que ya ha aceptado comprar a María se vuelva atrás y yo me quede sin la nave que equipará a cambio—. Todavía —sonrió satisfecho de sí mismo Sanabria— Cabeza de Vaca debe creer que recuperará poder en el Río de la Plata casándose con María. Tu hijita ha de seguir visitando al pobrecito cabeza de burro hasta que yo pueda cambiarle esa compañía por la del verdugo —volvió a sonreír satisfecho con la ocurrencia—. Y tú me ayudarás. Bien sabes lo llena de accidentes que está la vida y cuán poco podemos hacer para proteger a los seres queridos.

Sanabria dejó la fusta sobre la mesa, se restregó las manos con satisfacción, volvió a tomarla y sin previo aviso descargó un golpe cuan fuerte pudo sobre el brazo de Mencía.

—Espero —sonrió —que los cardenales no te dejen tan deseosa de pasear con pretexto de ver obispos.

Luego, como quien ejecuta ardua tarea, se dedicó a golpear con método. Descargó el látigo en cuanto sitio le pareció que podía generar dolor sin dejar marcas que no pudieran esconderse tras la ropa. Largo rato más tarde, resoplando por el esfuerzo, se sentó y se dedicó a contemplar a su víctima, con el aspecto de quien está satisfecho con la labor realizada.

—Ya ves —sonrió— que me has hecho entrar en calor. Todo son ventajas —aprobó con un movimiento de cabeza— yo entro en calor y tu padeces doble porque es bien sabido que el látigo duele más en invierno.

Agotada por los golpes y por el ímprobo esfuerzo en reprimir los quejidos Mencía alzó la mirada y murmuró:

—Miserable.

—Habla, que ya estoy cansado y lo que digas ahora te lo tengo en cuenta para otro día —rio Sanabria.

—Me matarás o me mataré, pero no te ayudaré a hacer desgraciada a María.

—No hará falta, mi señora —se burló Sanabria—. María cooperará para que no te haga daño y tú lo harás para que no se lo haga a ella.

—Miserable —repitió Mencía mientras utilizaba el resto de sus fuerzas físicas y mentales para incorporarse y marcharse.

—Miserable —volvió a murmurar y empezó a andar fijando la vista en las líneas dibujadas en el piso para caminar sin dar tumbos. Paso a paso, se alejó con la rigidez de quien lucha por tenerse en pie. Sus ojos tropezaron con una lanza cuya punta descansaba en el suelo. Por un instante la deseó para matarse o matarlo o ambas cosas, pero se supo sin fuerzas y continuó su camino.

Temblando de rabia tras la puerta, María había escuchado lo que ocurría en el interior de la sala. No fue capaz de concretar un plan pero su interior le decía que ya había

tomado la determinación de poner punto final al martirio.
Así había conseguido las fuerzas para combatir el miedo,
para contener el vómito y para no intervenir. Cuando sintió
que su madre salía, se ocultó para evitar que Sanabria la
viera. Al girar la cabeza para hacerlo, volvió a advertir una
silueta que se perdía en la penumbra. Por un instante se le
erizó la piel con la inquietud de quien se sabe acechado por
uno pero debe desconfiar de todos. Cuando se hubo asegurado que Mencía había quedado sola, corrió a socorrerla y
llegó a tiempo para evitar que cayera. Con delicadeza le
ayudó a sentarse y empezó a quitarle la ropa que pugnaba
por pegarse sobre sus heridas. Corrió hacia la cocina,
ordenó agua caliente y rogó con la mirada que mantuvieran
el más completo silencio. Con la misma prisa fue donde su
hermana aguardaba llorosa y le urgió por paños y ungüen-
tos. Sujetó a Mencita por ambas manos, la miró con autoridad y susurró:

—Todo irá bien.

Corrió luego hacia donde su madre, que aguardaba
contemplando la rigidez, las llagas, los colores de su cuerpo
desnudo como si perteneciera a otra.

—Miserable —murmuró María, y Mencía respondió
con una sonrisa agradecida, triste y ausente.

—Miserable —volvió a murmurar María, como quien
usa una palabra mágica para conjurar su propio horror. Con
absoluta delicadeza lavó una a una las heridas que el látigo
había producido sin que la víctima exhalara una queja.
Cuando hubo terminado la arropó con una bata de seda.
Luego se arrodilló delante de su madre y apoyó la cabeza
sobre sus piernas. Mencía distrajo el dolor acariciando sus
cabellos hasta que uno de sus dedos se enredó, dando un
ligero tirón a la joven.

María alzó la mirada y bromeó:

—¡Eh, tirar no vale!

Mencía quiso responder con una sonrisa pero la angustia se anudó en su garganta y se lo impidió. María la miró,

movió lentamente la cabeza de un lado a otro y sus ojos centellearon cuando se clavaron en los de su madre.

—¡Lo mataría! —aseguró.

Mencía sonrió con tristeza, negó con la cabeza, atrajo hacia sí a su hija y volvió a entretenerse en acariciar su cabello. Así, en el más absoluto silencio estuvieron hasta que Mencía sintió como las lágrimas de su hija resbalaban sobre sus rodillas y no pudo más retener el torrente que ella misma había estado conteniendo.

Mucho rato después María alzó sus ojos humedecidos y murmuró:

—Lo mataría, pero no hará falta.

—Sueñas, hija mía; sueñas por el amor que nos tenemos —contestó Mencía sin dejar de acariciar la cabeza de su hija.

—Tú, madre, reponte, que tus hijas te precisamos.

Mencía volvió a negar moviendo la cabeza a uno y otro lado.

—Ya ni siquiera sirvo para protegerlas —musitó.

—Lo he oído todo, madre.

—¿Has oído qué?

—Los golpes, las amenazas, los insultos.

—Los insultos —musitó Mencía y sobre la lividez de su agotado rostro se encendió el rojo de la vergüenza.

María se incorporó, sujetó a su madre por ambos brazos y besó larga y suavemente su frente. Luego retiró un poco su cara y sus rostros quedaron frente a frente. Susurró en tono imperativo:

—Madre: ahora debes querer vivir. Te necesito; es preciso que confíes en mí.

—El amor, hija, brilla en tus palabras. Cualquier cosa harías por ayudarme y eso me consuela y también agrava mi pesar.

—¿Hay algo peor que el destino que mi padre me tiene preparado?

—No —asintió tristemente Mencía.

—¿Entonces te repondrás; confiarás en mí?

La sombra de una duda afloró hasta los labios cansados de Mencía. Fue a preguntar pero el abatimiento pudo más y dijo:

—Sabes que vuestro es el soplo de fuerza que me pueda quedar.

—Debo irme a tranquilizar a mi hermana y a la servidumbre que teme por sí y llora por ti —afirmó María—. Menos uno que nos espía —agregó con rabia.

Antes de salir abrazó suavemente a su madre y murmuró muy cerca de su oído:

—Cabeza de Vaca está con nosotras; reponte y te lo diré todo.

—¿Qué? —susurró Mencía sin que el sonido de su pregunta alcanzara a María quien silenciosa, rápida y resuelta se dirigió primero a la cocina y luego donde su hermana. Cuando hubo acabado de trasmitir la serenidad posible se retiró y a solas, empezó a preguntarse por lo que podía esperarse de la fidelidad de los criados; por lo que estaría dispuesta a soportar y arriesgar Mencita.

"Mi hermana tiene mucho que temer y alguna cosa que conservar", pensaba. "Los criados tienen también mucho que temer y alguna cosa que conservar ¿Y las criadas? Las criadas", se respondía a sí misma, "tienen tanto que temer como los demás pero: ¿qué tienen para conservar? Y por encima de todo: ¿Quién espía para mi padre? ¿Quién o quienes? ¿A cambio de qué? ¿Quienes obtienen recompensas en esta casa?".

Finalmente, se irritó consigo misma por distraer tanto tiempo en especulaciones que no la conducían a fin concreto y se dispuso a analizar el comportamiento de cada uno de los sirvientes.

"¡Tengo que encontrar al espía!", se prometió. "Habrá que inventar trampas", se dijo, "porque no veo otra manera de averiguar quién es el espía ni cuales están dispuestos a arriesgarse por mí. No será fácil", concluyó y se dispuso a ello, cuando irrumpió en su mente la imagen de su padre golpeando a su madre. Se irguió y sintiéndose incapaz de reprimir el grito clavó sus dientes en una cortina, la sujetó por el extremo con ambas manos y tiró hasta destrozarla.

—Ah, madre: hoy domingo seis de febrero de este año del Señor de 1547 tu hija jura por tus llagas que no se echará atrás. Jura que ha principiado a organizar la hueste que nos sacará de los infiernos —prometió cuando las doloridas mandíbulas y los cansados brazos ya no le permitieron seguir arrancando jirones.

A la mañana siguiente don Juan de Sanabria mandó llamar a María.

—Pasa —le autorizó —y acércate: deja que te vea.

María obedeció y dando un rodeo como si temiera pasar cerca del sillón ocupado por su padre se situó a tres pasos de distancia, sin alzar la vista del suelo.

—Mírame —ordenó Sanabria.

Tras un instante de vacilación la joven levantó la mirada.

—¿Qué ves? —inquirió Sanabria.

—Al amo y señor de esta casa y de la gente que en ella vive gracias a su merced.

Sanabria asintió satisfecho y preguntó:

—¿Me obedecerás o tendré que obligarte a que lo hagas?

—Os obedeceré en todo, como es debido a una hija bien nacida.

—¿Te casarás con quien te ordene que te cases?

—¿Quién más podría ordenarme semejante asunto?

—No has contestado.

—Si mi señor lo permite, contestaré con una pregunta.

—Habla.

—¿Por qué preguntáis, mi señor, por mi obediencia? ¿En qué he faltado a ella; cuándo no he cumplido vuestras órdenes?

—Hablas mucho con tu madre.

—He cuidado a mi madre: ¿acaso no es vuestro deseo que lo haga?

—Tu madre está loca y si el rigor no la hace entrar en razón habrá que encerrarla. Tu cabeza sobre sus rodillas la vuelve pertinaz en el error.

María disimuló el escalofrío que recorrió su cuerpo mientras se decía:

—¡De modo que quien observa tiene también cómo mirar dentro de la habitación de mi madre!

Sin dar lugar a que Sanabria notara vacilación alguna, preguntó:

—¿Qué queréis de mí, señor?

—Que no le escuches, por su bien, por el de tu hermana y por el tuyo.

—En todo, señor, obedezco aunque la flaca inteligencia que Dios ha concedido a las mujeres no me permite saber siempre cual es el mejor camino para hacerlo.

—Si persiste en su locura, ¿declararás contra ella?

—Lo haré; haré cuanto se me ordene —replicó María pausadamente mientras en su mente repasaba velozmente lo conversado con Mencía. Se tranquilizó, segura del volumen de voz apenas audible que habían utilizado. Como si hubiera usado el instante precedente en pensar una adecuada respuesta agregó—: pero ...

—¿Pero qué? —inquirió Sanabria enarcando las cejas y mirando como quien se apresta a golpear.

—Pero, ¿puedo haceros una pregunta?

—Habla —ordenó Sanabria mientras golpeaba una y otra vez el brazo del sillón con la palma de la mano.

—Os obedeceré en todo pero... pero si cuento con vuestro permiso puedo hacer más que eso.

—¿Qué dices?

—Que si prometéis no volver a castigarla, os aseguro que puedo convencerla.

—¿Convencerla? ¿Para qué quiero yo convencer a tu madre?

—Yo soy una humilde pieza a vuestro servicio, que puede conseguir que mi madre y mi hermana también lo sean.

—¿A cambio de qué?

—De mejor serviros. De, por ejemplo —la idea le llegó como una inspiración súbita— ayudar a evitar que los criados roben vuestra hacienda.

—¿Robar? ¡Quién se atreve! —bramó Sanabria.

—¿Quién? No lo sé, pero sí sé que ocurre —murmuró María experimentando y exhibiendo el temor del mensajero portador de malas nuevas.

—¿Qué sabes? —exigió Sanabria.

—Que siempre faltan pequeñas cosas y que los criados que no os son fieles en lo pequeño tampoco lo serán en lo grande.

—¡Miserables! —farfulló Sanabria—. Ya tendrán su merecido.

—Tal vez pueda ser útil a mi señor —murmuró la joven.

—¡María! —exclamó Sanabria—. ¡Cuánto daría porque fueras mi hijo varón y no el inepto Diego!

Consciente de haber entablado el diálogo con su hija en una clave distinta volvió a inquirir:

—¿Me ayudarás a cambio de qué?

—Sin más castigos será fácil conseguir que mi madre coopere para descubrir a los criados infieles. Si el empleo de alguacil recae sobre quien se case conmigo yo ganaré una buena posición. Además Cabeza de Vaca os seguirá ayudando aunque al final no me entreguéis a él en matrimonio.

—¿Y tú qué ganas? —repitió su pregunta Sanabria con desconfianza.

—Ser la esposa de un hombre con autoridad. Ser la hija del hombre más rico, poderoso y famoso de su tiempo.

Sanabria reprimió el deseo de abrazar a María. En tono que quiso ser afectuoso, aseguró:

—¡Cuántos problemas me ahorraría si la loca de tu madre tuviera tu inteligencia! Por fin podré ir tranquilo a la Corte. Tendrás lo que quieres; ahora vete.

María hizo una reverencia, fijó la mirada en el suelo en señal de sumisión, acató la orden y empezó a andar mientras pensaba: "¡Miserable! Claro que tendré lo que quiero; claro que lo tendré. Pero para ello lo primero es barrer la casa; hacer que las ratas se muerdan entre ellas".

Decidió que la prudencia aconsejaba repasar minuciosamente su plan. Día tras día observó a las criadas buscando establecer quienes podían resultar más confiables. Espió en particular a la joven que normalmente la acompañaba y le ayudaba a vestirse sabiendo que estaba muy expuesta a sus infidencias. Una mañana la vio romper un cántaro, limpiar con prisa los restos y dejar todo como si nada hubiera pasado.

"He aquí oportunidad para poner a prueba el carácter de Marta", se alegró María. Pidió a su madre que acusara con la mayor severidad a otra chica, como si hubiera hurtado el cacharro. No debió aguardar mucho cuando la criada, visiblemente asustada, se acercó a ella y le imploró:

—Señora mía; he hecho algo terrible.

—Dime, Marta —contestó María con indulgencia.

—El cántaro por cuyo hurto castigan a otra, no ha sido robado. Yo la partí y escondí los pedazos esperando que no se notaría —rompió a llorar.

María la tomó de la mano y la tranquilizó:

—No importa. Yo le diré a mi madre que ha sido un accidente.

Marta miró como preguntando qué pasaba, confundida por la completa falta de sorpresa, así como por la dulzura con que era recibida su confesión. María sonrió y aseguró:

—Te has arriesgado para que no castiguen a otra. Has cometido una pequeña falta y a cambio me has dado la alegría de saber que eres una mujer de fiar. Ahora vete y mantén la boca cerrada.

María, sin más alternativa que confiar en algunas personas, resolvió elegir a Marta como mensajero. De cualquier modo aplazó el inicio de ejecución del plan que tenía en mente, para estudiar todos los detalles. Hacía ya un mes que Juan de Sanabria había marchado a la Corte cuando se decidió a escribir las cartas que debían actuar como cebo para averiguar la identidad de los criados infieles. Escribió con toda formalidad, como si fuere a enviar una misiva a Cabeza de Vaca:

Sevilla, a diez de marzo del año del Señor de 1547
Ilustre gobernador que fue del Río de la Plata
Mi señor padre, Don Juan de Sanabria, ha marchado a la Corte convencido que esta vez logrará la ansiada capitulación con Su Majestad. Me ha prohibido que visite a Vuestra Merced en su ausencia y aunque ello ha entristecido mi corazón, debo obedecerle. Me ha prometido que no olvidará su promesa de otorgar la vara de alguacil mayor al que sea mi marido y ello me permite esperar con regocijo su regreso. No debo decir más porque no se me ha permitido escribirle y no es bueno que la devoción que por Vuestra Merced siento me sitúe cerca de la desobediencia propia de una hija mal nacida. Guardo esta carta a la espera de una ocasión propicia para hacérsela llegar. Entretanto ruego a la Virgen que interceda por el alma de esta pecadora.
María de Sanabria

Satisfecha con el contenido del mensaje hizo una copia. Escondió el original entre sus pertenencias de modo que pudiera ser encontrado por el criado que se ocupaba de espiarla. El mismo día envió la copia a su padre junto a carta en que le advertía:

Sevilla, a diez de marzo del año del Señor de 1547
Don Juan de Sanabria
Señor y dueño mío.
Bien sabido es que el ojo del amo engorda el caballo. Es mi obligación de hija bien nacida advertir que en vuestra ausencia los robos son más

frecuentes. Ya no se trata apenas de lo que hay en las despensas o de ropas de escaso valor. Unos delicados pendientes que vuestra señora suegra había dado a mi madre han desaparecido. Además el delincuente ha tenido la osadía de llevar las sucias manos hasta lo sagrado y me ha robado un crucifijo de plata del mismo origen. Escondo entre mis pertenencias una carta para el ex gobernador Cabeza de Vaca en la esperanza que registrándolas, el delincuente os vaya con la noticia y de ese modo se delate. Os adjunto copia de la carta que no dice sino aquello que me habéis ordenado decir al ex gobernador, pero dicho de modo que el criado ladrón crea tener una noticia que le permita congraciarse con el amo.

Vuestra obediente hija
María

Días más tarde y luego de desestimar la posibilidad de visitarle personalmente por el riesgo a ser descubierta, María decidió enviar una misiva a Cabeza de Vaca. Preparó copia de la carta que había escrito y guardado entre sus cosas a modo de cebo para el criado infiel. También hizo copia de la que había enviado a la Corte procurando desatar la cólera de su padre contra el criado ladrón. Adjuntó ambas a la que escribió para explicar a Cabeza de Vaca:

Sevilla, a 20 de marzo del año del Señor de 1547
Don Álvar Núñez:
Que Dios me ayude si alguien infiel revela el contenido de esta carta.

Mi padre continúa en la Corte convencido del éxito de sus gestiones. Aunque nada sospecha en particular de mí, siempre está en guardia y mantiene estrecha vigilancia.

He empezado a preparar la hueste que me permitirá huir de este infierno. El primer paso será sacarme de encima al o a los sirvientes que espían por cuenta de mi padre. La primera de las cartas —la que supuestamente escribí para enviarte —estuvo varios días entre mis cosas. Es seguro que el criado que espía por cuenta de mi padre la encontró. Puso cuidado en dejar en su sitio cuanto había sobre ella pero no advirtió que yo había dispuesto mis pendientes sobre una letra, de modo de notar el mínimo movimiento. Seguramente hizo una copia y se la envió, creyendo tener una noticia. No debo preocuparme, porque Juan de Sanabria ya recibió ese texto enviado por mí. A mi padre no le bastará lo que he dicho ni la evidencia para decidirse a prescindir de un criado que le es útil, pero investigará. Inmediatamente antes del regreso de mi padre esconderé entre las pertenencias de los sirvientes sospechosos los dos pendientes y el crucifijo que denuncié como robados. Estoy segura que mi padre registrará las cosas del delator para saber si la acusación de robo es cierta. Sea que encuentre el pendiente derecho, el izquierdo o el crucifijo, creerá haber descubierto al ladrón y yo sabré quién es el espía. Mi padre alzará su furia contra él y nuestra empresa quedará libre de implacable vigilancia.

Debo además decir que mientras el confesor sea un esclavo de mi padre, no habrá cosa que pueda llevarse a cabo sin que Sanabria lo sepa.

Enviaré a buscar respuesta en tres días a la misma hora. Marta, la criada que lleva y traerá el mensaje, es de fiar. Que Dios nos ampare.

María de Sanabria

Setenta y dos horas más tarde Marta regresó con la ansiada correspondencia. María se encerró y leyó:

Sevilla, a 23 de marzo de 1547
Doña María de Sanabria:
Me permito decir que estimo positivamente cuánto has aguzado el ingenio en estas semanas. Es cierto que no quisiera estar en la piel del criado que te espía. Y de verdad creo que si hubiere tenido asistentes como tú no me hubieran derrocado con tanta facilidad. De modo que: ¡buen comienzo! Debes estar preparada porque cuando se inicia la marcha, los acontecimientos se disparan. Tal vez lo primero que te toque aprender es que cuando desatas las fuerzas de la crueldad no está en ti dosificarlas. En fin, y esperando que me disculpes la expresión de viejo hombre de mar, a tu criado deseo: "come, gato, la sardina, que ya cagarás la espina.".

Por otra parte, dudo que sea lícito pedir el amparo de Dios para eliminar al confesor que asiste vuestra casa, pero veremos qué puede hacerse. Lo acusaré de estar de mi parte y eso bastará para que don Juan le retire la confianza y si puede, la vida. Debes encontrar el modo de escuchar a Sanabria confesándose. Cuando yo lo sepa lo haré correr en esta ciudad llena de rumores que vienen y van. No tardará Sanabria en creer que vuestro confesor me ha confiado lo que él le ha confesado.

Por último, he de decir que me gustó más la carta falsa que la auténtica, por mucho que la sensatez me haga recordar que de la mujer y de la mar no hay que fiar. En verdad aprecié tus insinuaciones maliciosas sobre casamientos y varas de alguacil.

Cabeza de Vaca

María leyó varias veces la carta hasta que estuvo segura que no se le había escapado ningún detalle. Le dio una última ojeada, saboreando la ironía e incluso el basto lenguaje de marino. Luego la quemó para no correr ningún riesgo y se dispuso a esperar los acontecimientos. Extremando la prudencia redujo a una cada quince días, las veces que enviaba a su criada por posibles noticias a casa del prisionero. Limitó sus movimientos y no tomó iniciativas, temiendo que pudieran llamar la atención. Rompió la quietud de la extensa primavera una carta de Cabeza de Vaca celebrando:

Sevilla, a 1º de junio de 1547
Doña María de Sanabria:
He recibido auspiciosas noticias de la Corte. Bueno, auspiciosas para ti antes que para mí. El pasado lunes 23 de mayo mi antiguo capitán, don Juan de Salazar fue nombrado Tesorero del Río de la Plata. Con ello nos aseguramos que en la armada irá un hombre leal y experimentado. El capitán Salazar fue al Plata en la desgraciada expedición de Mendoza, hace ya más de diez años. Fue fundador de la Asunción del Paraguay. Allí le conocí como hombre esforzado y valiente. Le dejé poder para que me sucediera en el mando, pero solo le valió para que también lo encarcelaran. Como la carabela que me traía encadenado a España ya había salido, lo mandaron preso en un bergantín que nos alcanzó cuando estábamos donde el Plata empieza a ser ancho como mar, en la ribera del norte. A propósito —y lo que digo prueba que te considero ya la gobernadora —esa costa, donde mandé con mala suerte fundar un pueblo y puerto de nombre San Salvador, es la mejor de cuantas existen para mantener abiertas las puertas de toda la gobernación.

En suma, Salazar y yo, juntos y sin podernos separar, regresamos desde la boca del Plata hasta que me escapé cuando ya habíamos cruzado la mar. Ahora que hemos conseguido su nombramiento, los que todavía me son fieles dejarán de trabar la capitulación de tu padre. ¿Has tenido noticia de su salud?

María leyó la carta con la atención de quien estudia un documento del que no debe perder detalle. Luego, al igual que en la oportunidad anterior, la quemó. Mientras lo hacía se dijo que nada sabía sobre la salud de su padre y volvió a preguntarse:

—¿Me atrevería a envenenarle?

Casi a continuación llegaron noticias de la Corte. Sanabria contaba eufórico el progreso de sus negocios. Afirmaba que en julio todo estaría listo para ser firmado y ordenaba que se le esperara en Sevilla al final de ese mes.

Don Juan de Sanabria contrató con la Monarquía en la villa del Monzón el 22 de julio de 1547. Los distintos capítulos que mutuamente habían firmado le convertían en el amo de inmensos y prometedores territorios en Indias. Apenas pudo se dirigió hacia Sevilla deseoso de empezar los preparativos de la expedición, aunque no ignoraba que ya era demasiado tarde para partir ese año. En el camino sintió un gran malestar, que quiso atribuir a la fatiga del viaje y al inclemente verano. Se vio obligado a detenerse en Despeñaperros al amparo del frescor de la sierra. Se contempló en un estanque y repitió la operación frente a un espejo. Se preguntó con amargura si su salud lo estaba abandonando justo cuando el Emperador lo favorecía. Tras tres noches de descanso se sintió mejor y aventó los lúgubres pensamientos que le habían asaltado los días precedentes. Reemprendió el viaje, ansioso por alcanzar su destino. La noticia de su retorno le precedió y fueron muchos los que salieron desde Sevilla a recibirle.

Su humor fue mejorando a medida que su carruaje acortaba la distancia que lo separaba de su casa. Descendió ya en el patio interior donde las sombras y la fuente atenuaban el ardiente agosto. Pasó revista con la mirada a Mencía, María, Mencita y a los criados, jerárquicamente ordenados. Le sorprendió alegrarse al verlos y encontrarse a sí mismo agradeciendo con un movimiento de cabeza que estuvieran allí para recibirlo. Sin decir nada se dirigió a sus habitaciones y no bien pudo se tumbó. Recién al caer la tarde del día siguiente se sintió con ánimo para empezar a atender los muchos asuntos relativos a la preparación del viaje.

"Manejar la expedición", se decía, "no ha de ser más difícil que gobernar esta casa. Bastará con elegir capitanes que celen y desconfíen unos de otros. Alcanzará con que estén en perpetua guardia entre ellos y eso, vaya si he sabido hacerlo. En cuanto a Mencía, nunca podré fiarme de ella. Se moverá a mis órdenes mientras pueda amenazarla con sus hijas, pero si las entrego en matrimonio, ya no me será tan fácil. ¡Grandes soluciones entonces!", exclamó en su interior mientras pasaba el dedo índice por el cuello. "A mi pobre vacilante hijo Diego lo dejaré en Salamanca. A mi inocente hija Mencita la casaré antes de partir y aunque me cueste pequeña dote, me reportará importante aliado. La principal duda", se preguntaba Sanabria, "es qué hacer con María. Casarla ahora supone una declaración de guerra a Cabeza de Vaca y tal vez sea demasiado temprano. Puede que no esté tan acabado como parece. Tal vez me convenga mantenerlo de mi lado por lo que pueda entorpecer la participación de sus antiguos capitanes. María, aunque es absurdo que lo piense de una mujer", se reprochó Sanabria, "puede ser un buen aliado, pero también un peligro. ¿Está de mi lado o es el peor enemigo? ¿Le conviene ayudarme o juega a destruirme?".

Incapaz de resolver esas dudas que ya le habían quitado el sueño en otras ocasiones, Juan de Sanabria se paseaba por el patio de su casa como un gato enjaulado. En eso volvió a su memoria la insistente noticia sobre robos que María le había comunicado cuando estaba en la Corte.

"Te estás volviendo viejo", se reprochó. "Con la fatiga del viaje y la atención del primer día de llegada te has olvidado de un detalle de primera importancia: ¿el criado que consideras tus ojos y tus oídos te roba? ¡El domingo lo sabré!", se prometió a sí mismo.

El viernes Juan de Sanabria hizo saber que era su deseo la asistencia conjunta a la misa dominical por la buenaventura del camino a Indias. Anunció que su magnanimidad alcanzaba sin ninguna exclusión a todos los que en la casa habitaban. Ordenó que por ninguna razón nadie se atreviera a faltar en ocasión tan solemne.

Llegado el domingo y la hora de misa, Juan de Sanabria pretextó la imperiosa necesidad de despachar una carta. Ordenó al cochero que llevara a Mencía y a sus hijas sin retraso.

María pensó: "de modo que este es el momento que usará para buscar los objetos que denuncié como robados", mientras le despedía con una discreta sonrisa.

El coche partió y en igual momento la totalidad de criados lo hicieron. Por primera vez en su vida Sanabria quedó en su casa completamente solo. Tembló como si estuviera en un camposanto. Espantó sus pensamientos y se exigió: "¡rápido, que es el momento de registrar! ¡ay del criado si encuentro entre sus cosas lo robado! ¡Ay de María, si es una patraña!".

A poco de iniciar su tarea, un sofocado alarido anunció que Sanabria había encontrado uno de los pendientes de Mencía.

—¡Roñoso! —gruñó mientras examinaba la prueba con cuidado—. ¡De modo que María me ha dado una buena pista!

Convencido de la culpabilidad del criado que hasta ese momento le había resultado un fiel espía, prosiguió la búsqueda pero no encontró ni el otro pendiente ni el crucifijo. Se dijo que tal vez los hubiera escondido en lugar más seguro o los hubiera vendido ya. Para reafirmar su condena murmuró lapidario: "la ropa de este marrano es demasiado buena para que la haya comprado con las monedas que le doy; no puede haberla obtenido sino robándome".

Abandonó la inspección con tiempo suficiente como para que no se notara su ausencia. En el camino consiguió serenarse y antes de llegar se había prometido a sí mismo: "¡Lo pagará! No puedes ser gobernador del Río de la Plata y dejar que un sirviente en que has confiado, te robe".

Cuando llegó a misa ocupó el lugar que por su jerarquía le estaba reservado y a María le fue imposible observar sus facciones. Tampoco pudo hacerlo al salir y su ansiedad empezó a quedar fuera de control. Aunque era conciente del alto riesgo de tal proceder fingió un malestar que no podía esperar y sin más compañía que su criada se dirigió a toda prisa a la casa. Llegó bañada en traspiración por el esfuerzo realizado bajo el inclemente sol de agosto. Se preguntó como podía librarse de la presencia de su acompañante, la miró con desprecio e insultó:

—¡Qué sucia eres! ¡Qué mal hueles! ¿Cómo fuiste así a misa? ¡No te atrevas a acercarte hasta haberte lavado y perfumado!

Marta corrió despavorida a cumplir con lo que le ordenaban. Mientras tanto María se dirigió a toda prisa al ala contraria de la casa. En un instante recuperó de su escondite el crucifijo que había ocultado en las pertenencias de uno de los criados diciéndose: "este no es". Un momento más tarde tomó el pendiente que había escondido bajo el colchón del otro y se dijo: "este tampoco".

Tembló temiendo que podía haber escondido los tres objetos entre las pertenencias de criados inocentes y corrió donde el tercero. Suspiró aliviada al mismo tiempo que su corazón latía con furia: "¡de modo que eras tú, asqueroso Alonso Martín!", lo maldijo y a toda velocidad volvió a su habitación. Se tumbó a tiempo de oír como entraba el primero de los que regresaba de misa. Un momento después la criada que había sido insultada golpeó pidiendo, en voz apenas audible, licencia para entrar.

—Pasa —autorizó María y abrió la puerta, tras la cual encontró a Marta, que aguardaba de rodillas, con el rostro desdibujado por las lágrimas.

María se estremeció con la brusquedad de quien ha sido mordido por una serpiente, dio un precipitado paso hacia adelante y se situó al lado de Marta. La joven levantó los brazos en la actitud de quien sabe que va a recibir un golpe. María la sujetó con suavidad por los brazos y con un gesto la invitó a ponerse de pie. Cuando sus caras quedaron frente a frente murmuró:

—Por favor, perdóname. Me duele tanto la cabeza que no estaba en mis cabales —se excusó mientras pensaba que tal vez algún día pudiera contarle por qué había actuado así.

Marta hizo ademán de separarse, aterrorizada por lo que le pareció un gesto de locura de su ama. María lo impidió, se acercó más a ella, la abrazó y murmuró:

—Nada de lo que he dicho era verdad; eres la mejor criada que jamás un ama ha tenido. Ahora vete y haz de cuenta que no ha pasado nada.

Cuando María quedó sola soltó un suspiro de alivio. "Ahora", se dijo, "a esperar y a estar atenta a la reacción de mi padre".

No obstante, transcurrió lo que quedaba de la mañana, luego la tarde, la noche, el largo lunes y nada sucedió.

"¿Qué puede haber salido mal? ¿De qué modo puede haberse dado cuenta del engaño?", se preguntó María una y otra vez. Su inquietud se volvió ansiedad cuando temprano en la mañana del martes escuchó que su padre llamaba con afabilidad al criado infiel y le invitaba a pasar a su sala de trabajo.

Arriesgándose a ser descubierta, María pegó su oído a la puerta y escuchó cómo su padre le preguntaba por detalles sobre lo que había ocurrido en la casa mientras había estado en la Corte. Tembló de miedo cuando escuchó que Alonso

Martín y Juan de Sanabria alzaban sus copas y brindaban reiteradamente por la gran empresa del Río de la Plata. Por los sonidos supo que el criado se retiraba y retrocedió sigilosa a observar desde dónde no pudieran sorprenderla. En el umbral le vio hacer su acostumbrada reverencia y alejarse con la sonrisa de la satisfacción dibujada en su rostro.

"¿Qué hice mal?", se preguntó una y otra vez María sin conseguir una respuesta medianamente satisfactoria. "Ahora", se dijo, "debo prepararme para cuando me llame mi padre a darle explicaciones. ¿Y explicar qué? ¿Contar toda la verdad y desistir de la empresa? No, María", afirmó para sí, "¡eso jamás!".

Poco más tarde Sanabria gritó que ensillaran su mejor caballo y ordenó a dos criados que se prepararan para acompañarle. Cuando dieron las nueve se despidió diciendo que todavía podía aprovechar algo del fresco de la mañana. Anunció que regresaría en dos o tres día y sin más, espoleó su caballo hacia la puerta de la ciudad que apuntaba hacia Carmona.

"¡Cómo conoce mi padre que la ansiedad por el castigo daña más que el látigo!", murmuró resignándose a esperar para saber lo que se proponía. Sin embargo, al amanecer del miércoles un agitado ir y venir de los criados evidenció que algo anormal ocurría.

María mandó a Marta por noticias. La criada regresó pálida y agitada, diciendo:

—¡Que Alonso Martín no se levanta desde ayer; que Alonso Martín está para morir!

—¿Cómo?

—¡Si, mi ama; que está frío como un cadáver y tiene el cuerpo todo amarillo!

—Aparta —ordenó e hizo gesto de encaminarse hacia la habitación del enfermo. Apenas hubo andado unos pasos cambió el rumbo, se dirigió donde su madre, entró sin llamar y anunció—: madre, parece que Alonso Martín ha amanecido muy enfermo.

Mencía contestó, sin emoción alguna:

—Lo sé; ya se ha enviado por el confesor. ¿Qué te mueve a traerme con tanta inquietud esa noticia? —se sorprendió.

—Es que se trata de un buen servidor de esta casa.

—¿De esta casa o de tu padre?

—¿Acaso no te mueve a compasión?

—Hija —murmuró Mencía mirándola a los ojos—, la muerte de un semejante siempre mueve a compasión. ¿Pero, por qué muestras tanto desasosiego con la agonía de Alonso Martín?

—¡Quiero; debo hablar con él a solas!

—María —murmuró Mencía—, aunque me ocultes lo que está ocurriendo no puedes impedir que entienda que algo grave sucede.

—Madre, ya te contaré pero ahora es preciso que confíes en mí y que encuentres modo para que pueda hablar a solas con el criado.

—Llena de desasosiego te obedezco.

—Ya —exigió María.

Mencía terminó de vestirse y se apresuró a ir hacia la habitación del enfermo. Encontró a Alonso Martín tumbado boca arriba con las mandíbulas tan abiertas que parecían desencajadas. Su aliento impregnaba el aire de olor a ajo. Cada pocos segundos se contraía como si hubiera recibido un aguijonazo en el estómago para luego volver a estirarse cuan largo era.

Mencía se aproximó con delicadeza y sustituyó a la criada que atendía al doliente. Le ordenó que fuera donde María y le dijera que quería su propio rosario. Aduciendo que Alonso Martín precisaba tranquilidad rogó a cuantos había en la reducida habitación que salieran.

María llegó portando ostensiblemente el rosario que se le había encomendado. Una vez en la habitación pidió a su madre que se retirara pero Mencía objetó que era imposible hacerlo sin que los sirvientes hicieran toda clase de conjeturas.

—Trataré de no escuchar —aseguró a su hija y se retiró al costado más discreto de la habitación.

Los ojos del moribundo y los de María se encontraron. El dolor no impidió que el criado encontrara ira en la mirada que esperaba fuera de compasión.

—¿Por qué? —preguntó Alonso Martín.

Antes que María articulara respuesta llegó el confesor. Madre e hija se apresuraron a salir. Ya en el patio Mencía se inclinó ante el religioso y a modo de bienvenida susurró:

—Pase, reverendo padre. Dice el cirujano que no hay tiempo que perder, que este pobre hombre durará poco entre nosotros.

El confesor de la familia asintió con la cabeza y continuó su camino. Reprimió un bostezo y recomendó:

—Hijas; id y rezad por la salvación de su alma.

Minutos más tarde el religioso se marchó moviendo a un lado y otro la cabeza, como indicando que nada quedaba por hacer. Dos criadas volvieron a atender al moribundo y al poco rato una de ellas se dirigió visiblemente inquieta a la habitación de Mencía.

—Señora —pidió con voz temblorosa— no os ofendáis conmigo ni con el atrevimiento del desahuciado, que me ha rogado que interceda ante vos con un último deseo.

—Habla —replicó Mencía con suavidad.

—Quiere despedirse de vos y de vuestras hijas; con cada una de vosotras a solas.

—Iré yo —afirmó Mencía y cuando se dispuso a hacerlo su mirada encontró la de María.

—Madre —interrumpió María— faltaría caridad cristiana en mi corazón si no deseara rezar junto al lecho de muerte de un hombre que se prepara para dejarnos

Mencía escrutó a su hija con la intensidad de quien quiere averiguar lo que ocurre en la mente de otro. Guardó silencio, concedió con la mirada y marchó hacia la habitación del criado. Tras ella, Mencita apenas resistió un instante la compañía de la muerte. Cuando entró María la inminencia del fin había aventado por un momento los dolores del moribundo.

Sin introducción alguna Alonso Martín le dijo:

—Burlándose de mí desgracia el confesor me ha dicho que soy víctima del arsénico; que tu padre me envenenó porque creía que le robaba.

—¿Por qué me lo cuentas?

—¿Por qué me miraste con odio? En tu mirada había veneno pero quien me envenenó fue vuestro padre.

—¿Qué quieres saber?

—Quiero confesarme.

—Acabas de hacerlo —sentenció María.

—¿Finges no saberlo o realmente no sabes quién es el confesor?

—No te entiendo —replicó María sin que la dureza de su voz disminuyera.

—No tengo tiempo. Me estoy muriendo y tengo miedo. Dame una señal que me permita saber que me confieso delante de la persona adecuada o sal de aquí, corre y llama a tu madre.

María descargó una mirada cruel sobre el moribundo y en su boca se insinuó una sonrisa burlona. Hizo ademán de marcharse, se detuvo, reanudó la marcha, pero antes de abandonar la habitación volvió sobre sus pasos resuelta a arriesgarse.

—Yo no soy quién para que te confieses, pero sé que eres el miserable que ha espiado para mi padre.

—¿Quién más lo sabe?

—Solo yo.

—Entonces eres tú.

—¿Qué es lo que soy?

—Eres quien escondió este pendiente entre mis cosas —aseveró el moribundo volviendo desmesuradamente sus ojos para alcanzar con la mirada la pared situada tras la cabecera.

—¿Quién lo puso ahí? —inquirió María con inquietud al ver colgado el pendiente de su madre.

—El confesor. Juan de Sanabria le ordenó que viniera a decirme que he sido envenenado. Le dijo que dejara el pendiente para que me fuera con su imagen al infierno.

—¡Miserables!

—No más que yo.

—Es verdad.

—Pero temo a Dios

María vaciló. Fue a admitir que era ella quien había escondido el pendiente para incriminarlo, pero se contuvo y se encerró en si misma. "¿Por qué habría de arriesgar algo? ¿Y si es una trampa; y si se recupera?", sopesó.

Alonso Martín suplicó:

—He vivido como escoria, espiando a cambio de las monedas de vuestro padre y me aterroriza el infierno que abre sus puertas para recibirme.

—Lo sé.

—Confiésame.

—Blasfemas.

—Deja que me arrepienta.

—Es tarde.

—El acero que hay en tu voz... es igual al que el veneno ha dejado en mi boca y... —Alonso Martín dejó inconclusa la afirmación y preguntó—: ¿Cuánto sabes?

—Todo.

—No —murmuró el criado mientras negaba moviendo a uno y otro lado la cabeza. No puedes saberlo todo.

—Sé que eres peor que Judas.

—Ruega por mi alma. Tengo miedo.

—¿Yo?

—Primero robé y busqué la ayuda de vuestro poderoso padre para librarme de la justicia. Luego me acostumbré a recibir las migajas que mi oficio reporta. Pero hubo un día que quise enderezarme. Entonces don Juan amenazó con entregar mi hija al confesor para que la preñara, para darla luego a un burdel. El confesor es el peor; es la sombra maligna de tu padre.

—Es tarde para pedir que te tengan lástima.

—Lo sé y el miedo me ahoga mientras muero.

—Muere ya.

—Antes escúchame.

—Nada que interese puedes decirme.

—Sí puedo. A cambio protege a mi hija.

—Escoria —murmuró María—. ¿Sabes cuántas palizas te debe mi madre; cuántos azotes te debe la servidumbre?

—Y cosas mucho peores. Salva a mi hija y te diré cosas que te conviene saber.

—Escoria —volvió a murmurar María e hizo ademán de retirarse.

—Espera —la retuvo Alonso.

—¿Esperar qué?

—Jamás hubiera escondido una joya donde tu padre pudiera encontrarla.

—¿Y?

—Si levantas la cama sobre la que agonizo... —Alonso interrumpió fatigado. Cuando recobró el aliento se llevó las manos a la cara y rompió a sollozar. Recobró la calma y repitió—: si levantas la cama sobre la que agonizo verás fieltro en la base de las patas. Arranca el paño de la pata izquierda de la cabecera y encontrarás muchas cuartillas. Están los nombres de los delatores como yo; están los falsos testimonios que he ayudado a levantar. Están las cosas que han dicho y hecho tu padre y el confesor. Pensé que eso me serviría de protección un día. Y ahora, mírame —imploró Alonso haciendo un esfuerzo vano por incorporarse. Con voz apenas audible continuó—: haz lo mismo con la pata derecha y encontrarás las joyas y monedas que he ganado robando, extorsionando a los acusados en falso, vendiendo protección.

María detuvo su mirada en la mueca de terror que se había instalado en el semblante del criado.

Alonso Martín susurró:

—Sé que ahora te irás y dejarás que muera como un perro rabioso.

María abandonó la habitación sabiendo que no volvería a ver con vida al criado ni a escuchar como gemía ante las puertas del infierno. Ya en el patio se encontró con Mencía que se empeñaba en dar órdenes a los sirvientes para disimular la mucha duración de la visita al moribundo.

—Madre —le pidió—, ¿puedes hacer venir a la hija de Alonso Martín?

Mencía asintió y pronto estuvo en presencia de ambas una joven de trece o catorce años, de aspecto vivaz.

—¿Sabes que tu padre se muere? —preguntó María.

Inés contestó con sencillez:

—Lo sé.

—¿Quieres hacer algo por él?

—¿Algo puede hacerse? —preguntó con más resignación que tristeza.

—Poco y mucho.

—¿Sabré hacerlo?

—¿No te asustará la muerte?

—Me asustará pero podré con el miedo.

—Asístele entonces en su última hora. Hazle saber —enfatizó María— que yo digo que sus señoras rogarán por su alma y que si de ellas depende, Dios lo ha de perdonar.

—Gracias mi señora —murmuró la joven y permaneció sin moverse, al lado del lecho de su padre las veinticuatro horas que duró la agonía.

III

El cuerpo de Alonso Martín fue despedido sin lágrimas. María había conseguido que todos fueran al entierro. Una vez sola, se adueñó de lo que el criado infiel atesoraba. Escondió entre su ropa las cuartillas que encontró ocultas en el interior hueco de la pata izquierda de la cama. Le sorprendió la multitud de objetos que albergaba la pata derecha. Incapaz de apreciar en su justo valor las joyas y monedas las guardó en una bolsa. Tuvo la calma necesaria para volver a pegar cuidadosamente los fieltros que disimulaban el escondite ahora vacío y regresó a su habitación. Se dispuso a leer las cuartillas pero se increpó por su falta de precaución.

"Nada puede hacerse", se alarmó, "hasta no haber dispuesto un lugar perfectamente seguro para el diario de la infamia y las monedas de Judas. ¿Dónde?", se preguntó una y otra vez, consciente de la importancia crucial de aquel legado. Tras conseguir serenarse, advirtió la imposibilidad de esconderlo adecuadamente sin tiempo ni herramientas.

"¡Cabeza de Vaca!", se dijo cuando el desasosiego comenzaba a invadirla. "He de apostar; al fin tengo cómo otorgarle una buena prueba de confianza".

La decisión le trajo la serenidad. Evaluó el tiempo disponible y estimó en no más de una hora lo que faltaba antes que regresaran del funeral. "Y eso", se alarmó, "no es tan grave como que mi padre pueda llegar antes de lo previsto".

Cuando las voces quedas anunciaron que retornaban quienes habían escoltado el cadáver del criado infiel, María había tenido tiempo suficiente para completar la lectura. Muchas veces acompañó con muecas de asco el relato de las vilezas de su padre y del confesor. Las ocasiones en que no consiguió entender cabalmente el contenido de los papeles que le habían sido legados, se dijo: "Cabeza de Vaca ha de saber de que se trata".

Inventarió mentalmente todo lo que le enviaba y se llevó la palma de la mano a la frente, como quien se ha descubierto en un grueso olvido. Sacó de su escondite el pendiente y el crucifijo que había colocado y recuperado de entre las cosas de los criados inocentes y los colocó sobre un pañuelo. Antes de hacer un nudo tomó el plateado crucifijo, lo besó y lo alejó de su cara para examinarlo mejor. Se distrajo un instante contemplando la desmesurada herida que el orfebre había dibujado en el costado de Jesucristo. Luego se apresuró a guardarlo, como quien se siente bajo la mirada de la censura. Garabateó una explicación y llamó a la única criada en la que confiaba.

—Marta —le ordenó—: ¡Entrega esto a don Álvar! Y de ninguna manera digas a nadie adonde has ido. Me va la vida en ello: ¿me has entendido?

La joven asintió con un gesto mientras María la despedía repitiendo:

—De ninguna manera. Y ahora vete y date prisa, que nadie debe notar tu ausencia.

—¡Maldición! —profirió María no mucho después cuando el sonoro repiqueteo de cascos anunció que Juan de Sanabria había regresado—. ¡Maldición! —repitió la joven para sus adentros mientras se dirigía a recibir a su padre y al mismo tiempo buscaba una manera de entretenerlo. Lo encontró cuando ya había desmontado y observaba con curiosidad el crespón negro que identificaba la que había sido habitación de Alonso Martín.

—¿Qué ha ocurrido? —preguntó don Juan a los criados que se acercaron a atenderle.

A María le admiró el cinismo del amo, pero más le sorprendió la ingenuidad de los sirvientes que le narraron sobre la repentina enfermedad. La joven evitó cruzar la mirada con su padre, temiendo que se transparentara lo que ella sabía. Aventó el mal pensamiento con un ademán, se acercó y le saludó con una reverencia.

Como si no hiciera falta contestarle, Juan de Sanabria desvió la mirada hacia la servidumbre y tronó:

—Quiero a todos en este mismo patio a las doce, que he de hablar: ¡Qué no falte ninguno!

María apenas consiguió disimular el desasosiego, hizo una nueva reverencia y preguntó con voz muy queda:

—¿No deseáis, señor, refrescarte primero?

—Los grandes acontecimientos no pueden esperar —se jactó Sanabria mientras en sus ojos brillaba la desconfianza ante el gesto de amabilidad—. ¡Cuando den las doce los quiero a todos aquí! —volvió a bramar.

—Sí, señor —acató María y se retiró.

Después, antes de entrar a la habitación de Mencía preguntó:

—¿Madre?

—¿Qué?

—Marta no estará de vuelta antes de las doce.

—¿Dónde la has enviado?

—¿Qué importa? No puede saberse.

—Ya, ¿pero dónde?

—A lo de Cabeza de Vaca.

—Dios mío, Dios mío —invocó Mencía escondiendo la cara tras las manos.

—¡Deja a Dios y piensa qué decir!

—Dios mío; nada resultará con don Juan.

—Diré la verdad.

—Estás loca e igual no evitarás la perdición de Marta.

—Trataré de distraerlo.

—Jamás lo conseguirás.

—¡Tiene que haber algo!

—Arréglate mientras pensamos, que solo empeoramos las cosas si no estamos a la hora.

Mientras los minutos se sucedían densos y vertiginosos, María articuló mil planes y no consiguió sostener ninguno. Cuando llegó el momento señalado, se situó en un ala del patio, junto a su madre y su hermana. Al costado formaban los criados, a quienes Sanabria trataba como a la propia hacienda. Doce campanadas sacudieron el aire caliente. A Juan de Sanabria no le hizo falta más que un vistazo para exclamar:

—¡Falta una!

Durante segundos el silencio se abatió sobre la servidumbre. María y Mencía intercambiaron una fugaz mirada de desesperación. María hizo ademán de dar un paso al frente y sintió que en su brazo se clavaban las uñas de Mencía para impedirlo.

—¡Falta alguien! —volvió a gritar Sanabria—. Y ahora ya sé quien es —exclamó un instante más tarde, satisfecho con su agudeza—. ¡Marta! —exclamó con aire de triunfo.

Entonces la joven criada se abrió paso desde el fondo. La agitación de su rostro y el sudor que la empapaba por la carrera estaba disimulado bajo gruesas manchas de tizne.

—Perdón, mi señor —pidió, gesticulando como para quitarse las manchas y ordenar la vestimenta—. Perdón —volvió a pedir Marta que explicó con voz temblorosa—, cuando llamaste corrí a adecentarme y cuando terminé vi que la cocina ardía demasiado y por quitar tizones así he quedado. Avergonzada, mi señor, de presentarme ante Vuestra Merced en este estado, me situé tras los más altos de tus siervos, como si no supiera que nada escapa a vuestros ojos.

Sanabria se aprestó a fulminarla, vaciló y finalmente dijo en voz muy baja, para sí mismo: "No está mal parecer magnánimo de vez en cuando. Además, me gustan las sirvientas que se ocupan de ahorrar el carbón del amo".

Al cabo sentenció, hablando para todos:

—¡Perdonada está por esta vez!

Sobre el silencio que le garantizaba que sus palabras serían atendidas prometió:

—¡Al de vosotros que me sea absolutamente fiel llevaré a las Indias y daré buenaventura!

Sanabria hizo un prolongado silencio. Paseó su mirada escrutando la cara de cada uno de los presentes. Luego añadió:

—Os he reunido para deciros lo que debéis saber. Primero os diré —y se restregó las manos con satisfacción— que la expedición que convertirá a mis criados en los sirvientes más ricos del orbe ya tiene capitán. Las naves —agregó tras una pausa que aumentó el suspense —ya están siendo elegidas por el ojo avizor... del capitán Juan de Salazar.

El murmullo de admiración reveló que solo los menos avisados entre los sirvientes desconocían que Salazar había ido al Plata en la expedición de Mendoza; que huyendo de Buenos Aires donde los españoles se comían unos a otros había llegado cerca de El Dorado.

Satisfecho por el efecto de sus palabras Sanabria anunció:

—Habrá que redoblar el esfuerzo, pero a fin de abril nos haremos a la mar. Mucho tendremos que hacer —sonrió el amo mientras detenía su mirada en cada uno de los presentes, como acusándolos de poca disposición al trabajo.

"Abril", murmuró María para sí mientras hacía cuentas. "No lo conseguirá en tan poco tiempo", se esperanzó. "Todo lo intentará, incluso pactar precipitadamente las bodas de Mencita y la mía, pero no lo conseguirá. ¿Y si lo consigue?", se inquietó mientras abría uno tras otro los dedos hasta nombrar los ocho meses que mediaban hasta el mes señalado por su padre. Maldijo las dificultades que la condición de mujer arrojaba sobre sí para actuar y concluyó: "esperar, estar en guardia y saber lo que trama es cuanto puedo hacer".

Primero Juan de Sanabria culpó a las fiebres del fin del verano que ese año azotaban con especial crueldad a los barrios pobres de Sevilla. Luego insistió en señalar que nada le ocurría, pero que no era conveniente iniciar la actividad antes que pasara el calor de setiembre, que se le antojaba de una intensidad inusual. En octubre volvió a un ritmo de trabajo frenético, como si la energía hubiera vuelto a su cuerpo. Parecía recuperar el tiempo perdido a pasos agigantados en la negociación, compra y almacenamiento de mercancías valiosas en Indias.

En cambio, para María los días transcurrían lentos. Con frecuencia se cruzaba con el enérgico Juan de Sanabria y temía que se hubiera recuperado. Toda vez que le veía una sonrisa de satisfacción por el éxito de sus preparativos, temblaba. Encerrada, salvo las imprescindibles salidas a misa, le consumía la ansiedad. Segura que su única carta de triunfo era que el propio plan no trasluciera, se mantuvo semanas sin salir de casa. No quiso asumir el riesgo derivado de mantener comunicación y así se lo hizo saber a Cabeza de Vaca. Vio llegar e instalarse los colores del otoño y luego, el modo en que el viento del invierno se llevaba las hojas amarillas del suelo. En diciembre suspiró con alivio porque Sanabria refrenó su actividad y pareció perder parte del recuperado vigor.

Por entonces, a dos horas de camino de Sevilla, murió su tío Hernán Cortés. No hubo quien no quisiera acercarse a los despojos del más famoso y un día más bienaventurado de los conquistadores. El breve camino hasta Castilleja se llenó de enlutados jinetes; se vistió de oscuros carruajes en cuyo interior viajaban damas discreta pero ricamente ataviadas.

Los que recién llegaban hacían por visitar al caudillo muerto. Murmuraban palabras de compromiso sobre la brevedad del día. Salían como buscando la luz del sol y elegían corrillo. Como si cada cual supiera dónde debía ir, se unían a los maledicientes, a los envidiosos o a los que discutían la política imperial. Se mezclaban entre los que se preguntaban por el destino de los bienes de Cortés o con los que se interrogaban por el modo de sacar tajada de semejante herencia. Algunos caballeros alternaban en unos u otros grupos. Ciertos nobles venidos a menos apenas estaban interesados en exhibir el propio estatus. Muchos hombres adinerados bendecían la ocasión para procurar provechosos tratos.

La noticia de la muerte de Cortés había sorprendido a Juan de Sanabria en el lecho que no abandonaba hacía días. Sintió que la parca había allanado el único obstáculo que le impedía convertirse en el hombre más rico y famoso del mundo. Su ánimo mejoró como si el Emperador le hubiera invitado a un banquete y la energía volvió a sus músculos.

Se arregló con sus mejores galas y ordenó enjaezar con toda riqueza su corcel favorito. Cuando estuvo pronto para salir hizo llamar a su esposa y ordenó:

—Disponte, y haz que tus hijas se preparen, que vamos de feria.

—¿De feria? —preguntó Mencía con inocencia.

—¿No es en la feria donde se buscan compradores para los animales propios?

—¿Cómo deben ir? —preguntó Mencía como si no hubiera escuchado la grosería.

—Con todo el lujo que la ocasión permite —ordenó Sanabria—. Y todo lo visibles y un poco más de lo que el recato permite —sonrió tirando con el dedo índice del escote de Mencía y descubriendo sus senos—. Ya lo sabes —concluyó sonriente— a la feria vamos.

Juan de Sanabria volvió a sonreír, montó y antes de alejarse reiteró:

—Daos prisa, que a los compradores no les agrada esperar.

Ya pasaba mediodía cuando el carruaje que llevaba a Mencía, María y Mencita se detuvo en Castilleja de la Cuesta, junto al convento en que yacía el cuerpo del conquistador de México.

"Despreciable viejo", sonrió María una vez que estuvo delante del ataúd. "¿Por qué no tengo compasión?", se reprochó. "¿O es envidia de sus hazañas, de su fama inmortal? Es...", fue a contestarse, se persignó y se dijo: "deja en paz a los muertos y ve con tu gente".

Se inclinó ligeramente para reverenciar una imagen del crucificado y como si tuviera prisa se marchó. Al hacerlo tropezó con un religioso.

—Disculpad —pidió e hizo una reverencia María tan sorprendida por el tropiezo como por lo que le pareció mucha juventud, estatura y delgadez de quien vestía el hábito.

—Para mí ha sido un gusto haberos encontrado —contestó el religioso.

María dudó sin conseguir determinar si la respuesta había sido irónica, lasciva o excesivamente formal.

—Disculpe Vuestra Reverencia —volvió a pedir y se precipitó a continuar su camino.

—Parece —la alcanzó la voz del religioso —que estuvieras huyendo de quien ya no puede hacer daño.

—¿Cómo? —se volvió la joven para contestar con una familiaridad que de inmediato le pareció inadecuada—. ¿Cómo dice, reverendo? —corrigió.

—Aún no nos hemos presentado —cambió la orientación del diálogo el risueño religioso.

—¿Por qué debiéramos presentarnos? —interrogó María con altanería.

—¿No somos hermanos todos los hombres?

—¿Por qué no se lo pregunta a quien hemos venido a reverenciar? —replicó María indicando con la mirada el sitio donde reposaban los despojos de Cortés.

—¿Has venido a reverenciarlo?

—¿Quién crees que eres para interrogarme? —desafió María, usando deliberadamente el lenguaje de modo de faltarle el debido respeto.

—Dices que todos reverencian a tu tío y tal parece que tú no te niegas a hacerlo —sonrió, sin que diera señales de haber advertido la intención de ofender de la joven.

—¿Qué sabes de mí: quién te ha dicho que es mi tío? —insistió en la provocación que suponía el trato familiar que le dispensaba.

—Todo se sabe —sonrió el religioso, que daba muestras de estar más divertido que ofendido.

Aunque intrigada y sobre todo desconcertada, la impaciencia de María pudo más y volvió a hacer ademán de marcharse.

—Espera.

—¿Por qué? —contestó la joven con una sonrisa insolente.

—Confesión.

—¿Qué?

—¿Hace cuanto no te confiesas?

—¡Hace tres días! —afirmó María, e irritada por haber respondido agregó—: Adiós.

—Mientes.

—Adiós —replicó María con furia.

—No reconoces a Nuestro Señor. ¡He de quitármelo para que lo veas de cerca! —la contuvo el religioso. Se quitó el crucifijo de plata que llevaba sobre su hábito y lo depositó en la mano de la joven. Susurró—: esperaba que lo hubieras reconocido de lejos.

María vaciló pero examinó la pieza que se le ofrecía y en un instante estuvo completamente segura. Se trataba del mismo crucifijo que había denunciado como robado para incriminar al sirviente infiel y que luego, había hecho llegar a Cabeza de Vaca. Reprimió un temblor de inquietud, levantó la mirada e interrogó con los ojos.

—Si, claro que él me lo ha dado —contestó el religioso.

—¿Por qué?

—Para contestar, primero tendría que explicar por qué lo he aceptado.

—¡Explícate! ¡Explicaos! —corrigió María.

—Es largo. Si Cabeza de Vaca sabe lo que hace, no faltará oportunidad —aseguró mirando hacia arriba como poniendo el cielo por testigo. Tras una pausa preguntó—: fuera de vuestro confesor y vos: ¿alguien más sabe o sospecha que vuestro criado murió envenenado?

María demoró en responder, tomada de sorpresa por el cambio de giro en la conversación.

—Nadie —respondió con convicción.

—¿Ni siquiera por los síntomas; por lo repentino de la enfermedad y la muerte?

—No... tal vez porque mi padre lo trató con falso afecto hasta el fin. Supongo que nadie imagina en mi casa un crimen que no sea ordenado por mi padre. El desgraciado no dijo nada porque —Dios le haya tenido en cuenta el gesto— temía represalias sobre su hija y en todo caso ya no podía eludir la propia muerte. Puede además que creyera que ayudándome con su silencio había alguna esperanza para su venganza. Y yo —aseguró María— me he guardado de decir palabra incluso a quienes me son más fieles, porque nada ganaban con saberlo. Pero: ¿por qué importa tanto?

—Porque entonces el único traidor que pudo llevar la noticia a los enemigos de Juan de Sanabria es vuestro confesor.

—¿De eso lo acusaréis? —indagó María con gesto de repugnancia.

—No hables en plural que solo soy mensajero para que no te pille desprevenida —sonrió el religioso y agregó—:

no solo de eso. En las cuartillas que escondía el criado envenenado hay otros cuantos crímenes. Si los enemigos de Sanabria lo saben, tu padre creerá que vuestro confesor ha estado vendiendo sus secretos.

—¿Qué hará mi padre?

—Hija mía —ironizó el religioso—, preguntas demasiado. Supongo que si puede lo matará y si no puede hará que caiga en desgracia.

—¡En cualquier caso, quedaré libre de ese miserable! —suspiró María—. Pero con asquerosos medios... —fue a agregar, pero el fraile reclamó su silencio.

—Ya nos hemos expuesto demasiado. Si te preguntan qué quería, di que soy un charlatán. Agrega que vuestro capitán Salazar me ha aceptado a su lado. Que te pareció que mi olor a vino era difícil de sufrir. Di cualquier cosa que te parezca útil para que don Juan me tome a su servicio —rió por lo bajo—. Ah... —agregó—, me llamo Agustín; fray Agustín —se despidió con una sonrisa, pero antes que la joven se alejara volvió a reclamar su atención y observó—: ya que, según dice Cabeza de Vaca, eres una especie de capitán en las sombras, no me opongo a que en privado no me trates con el lenguaje a que mi hábito te obliga. ¡Sea esa nuestra contraseña! —murmuró y alzó la diestra como si se dispusiera a un brindis.

María volvió a un patio interior del convento donde estaban reunidos los suyos y encontró en los ojos de Juan de Sanabria mirada de alimaña acorralada. Más tarde volvió a verle pero esta vez le pareció que su rostro demacrado destilaba cólera. A media tarde encontró que una sonrisa malévola anidaba en su semblante gris. Lo vio alejarse a dar una breve caminata. Salió con paso vacilante y regresó despacio, como si estuviera meditando sobre una resolución. Cuando volvió a acercarse, habló en tono desacostumbradamente familiar a Mencía y sus hijas.

—Espero —sonrió tratando de sobreponerse al malestar que a pesar de sus esfuerzos no le abandonaba— que no hayáis cometido muchos pecados.

Las mujeres se miraron con inquietud porque nada en don Juan denotaba la amenaza que sus palabras contenían. Asintieron con la cabeza y Sanabria continuó:

—O, al menos, que si los tenéis no os hayáis confesado.

Las tres mujeres volvieron a intercambiar miradas de inquietud. Don Juan esbozó una sonrisa. Alargó la pausa como si le faltaran fuerzas, dio un paso adelante como para acercarse al grupo y aseveró con voz de conspirador:

—Habéis de jurar que no repetiréis lo que os digo.

Mencía, María y Mencita se persignaron al unísono y asintieron con la cabeza. Sanabria susurró:

—El cerdo de nuestro confesor ha estado levantando calumnias contra mí. Vive Dios que lo pagará, pero no es bueno que se sepa que mi mano ha estado en ello. Hasta que lo pague, guardaos de cualquier confesión que ese miserable pueda usar en contra de mi casa: ¿entendido? —amenazó Sanabria.

Luego, como si las demás no existieran interrogó a María:

—Te he visto hablar con un joven. ¿Que quería?

—No era un joven. Era un fraile —respondió María procurando que su padre insistiera en preguntarle.

—He aquí una joven que cree que los frailes no pueden ser jóvenes —ironizó Sanabria para luego ordenar—. ¡He preguntado qué quería!

Con la seguridad de quien ha tenido tiempo para pensar en la respuesta María afirmó:

—Jactarse de su amistad con el capitán Salazar. Afirmar que cuanto más desea es servir a Dios tomando parte en vuestra expedición.

—¿Qué te pareció?

—¿Qué podría decir yo y menos acerca de un ministro de Dios?

Pese a que se sentía con náuseas, Sanabria admiró la aptitud de su hija para responder con corrección. La tomó del brazo y la llevó aparte.

—He dicho que quiero tu opinión —ordenó, pero con afabilidad.

—Tenía demasiadas ganas de hablar y olía mucho a vino. Es joven y alegre. Creo que habló conmigo porque su deseo es estar amparado por un gran señor.

—Parece que así será —sonrió Sanabria, al tiempo que con un gesto indicaba a María que podía regresar con Mencía y Mencita. Apenas empezó a andar, don Juan ordenó—: Dile a tu madre que ya es hora que emprendan el regreso a Sevilla; yo os alcanzaré en el camino.

Horas más tarde Sanabria mandó al criado que había quedado para acompañarle, que trajera las cabalgaduras. Cuando montaron dispuestos a emprender el regreso sintió que los últimos rayos de sol le acariciaban tenuemente la nuca y lamentó que no llegaría al paso del río antes que estuviera completamente oscuro. Con un gesto apenas perceptible azuzó al animal que comenzó a trotar. Un momento más tarde se sintió incómodo y retrayendo levemente las bridas, ordenó al bruto que tornara a marchar al paso.

—¡Otra vez mareado! —maldijo Sanabria, e intentó centrarse en sus planes para evitar pensar en el creciente malestar. Se distrajo observando los caminantes que iban donde los restos de Cortés o regresaban a Sevilla. Se entretuvo haciendo un catálogo de los que le parecían más robustos, ágiles o despiertos y los imaginó suplicándole para formar parte de su expedición. Se sintió capitán de muchos y en su semblante se instaló una sonrisa de satisfacción que pronto devino mueca de dolor. Los dientes apretados se entreabrieron para dejar escapar una maldición en voz tan alta que el propio doliente se sobresaltó.

Llegó a su casa tendido hacia adelante sobre el lomo de su caballo, aunque no quiso ceder las bridas al criado que le acompañaba. Ya en el patio interior los sirvientes le ayudaron a bajar y le condujeron al lecho. Con escasa interrupción allí permaneció hasta el veinticuatro de diciembre. Ese día se sintió sano y fue a misa para dar gracias al Altísimo. Usó el día de Navidad para agasajar dignidades eclesiásticas y militares. El veintiséis de diciembre lo ocupó en recibir ofertas de gente de mar deseosa de participar en su armada. El veintisiete fue con todos los de su casa a misa y luego al camposanto, a despedir al confesor que había sido encontrado flotando en el Guadalquivir. El día veintiocho anunció que una casa decente no podía prescindir de los servicios de un religioso. Ese mismo día mandó llamar a su presencia al fraile que había conocido en el funeral de Cortés. El veintinueve presentó a fray Agustín Casas destacando que hacía falta llevar mucha juventud a las Indias. Trabajó denodadamente hasta el último día del año. El domingo primero de enero de mil quinientos cuarenta y ocho fue a misa. Con dificultad consiguió permanecer hasta el fin de la ceremonia. Decidió que el aire frío le vendría bien y se dispuso a caminar los cientos de pasos que lo separaban de su casa. Quienes marchaban cerca le escucharon maldecir mientras oprimía con la palma de la mano derecha igual costado de su vientre. Sanabria se encorvó y creyó que se iba a desplomar pero consiguió enderezarse. Se mantuvo muy rígido, luchando por controlar su cuerpo y detener las oleadas de pánico que le atacaban. Se preguntó a quien entre los transeúntes podría pedir socorro sin que le robara. Prestó atención a lo que decían unos hombres que vestían con relativa decencia. El miedo volvió al ataque de la fortaleza que Sanabria había erigido cuando alcanzó a entender que se referían a él. Aguzó el oído y descifró que uno de ellos comentó:

—¡Qué palidez la del viejo Sanabria!

Aquel al que iba dirigido el comentario señaló con la mirada un perro muerto y asintió:

—Parece más cadáver que ése.

—Primero Hernán Cortés y luego Sanabria. Parece que un buen primo se dispone a acompañar al otro —rió entre dientes quien había hablado primero—. Todos saben que está que se muere y el infeliz cree que irá al Río de la Plata.

—¿Quién heredará ...? —le pareció escuchar a Sanabria antes que la conversación dejara de resultarle audible.

Tragó saliva y le pareció que ingería plomo fundido. Apretó el estómago con la mano pero la sensación de estarse quemando por dentro no disminuyó. Su corazón disparó y pugnó por alcanzar la garganta. Su brazo buscó la pared y encontró el vacío. Se desmayó y sin recobrar el sentido fue conducido a su casa. Cuando volvió en sí se dijo que todo había sido un mal sueño. Quiso incorporarse pero la debilidad se lo impidió y le mostró la amplitud de su deterioro físico. Interrogó al cirujano y lo despidió entre insultos y blasfemias porque ni consiguió engañarle ni atenuar el pavor que le sacudía. Procuró rezar y no pudo siquiera mantener la compostura. Bebió a grandes sorbos el aguardiente necesario para perder el sentido. Cuando despertó y consiguió poner en orden sus pensamientos el miedo volvió a atenazarlo. Gritó que llamaran a su mujer y sin dar tiempo siquiera a que se acercara le ordenó que buscara los mejores cirujanos. Sin conseguir soportar el propio horror, volvió a ingerir grandes sorbos de aguardiente y se refugió en las atenuadas aristas de la ebriedad.

Entretanto, Mencía intentó ejecutar lo que se le había ordenado. Consideró consultar al cirujano que su marido había echado pero resolvió que no debía. Se dispuso a llamar al flamante confesor y encontró que no haría sino aumentar su terror. Se vistió para salir a buscar consejo, pero se dijo que no debía estar fuera, por si su marido recuperaba la conciencia y la llamaba. Sin saber qué partido tomar, preguntó a su hija.

María respondió:

—Cualquiera diría, madre, que te atormenta la enfermedad de tu marido.

Mencía la miró largamente y tras dudar, aseguró:

—No, no es su dolencia lo que me abruma.

María pasó un brazo por encima de su hombro.

—Ven —pidió y la condujo hasta el borde de la cama. Se sentó junto a ella y la estrechó contra su costado—. Tratemos de ver, madre, exactamente cuál es la situación y qué debemos hacer —propuso.

—Cumplir lo que Sanabria ha mandado —contestó sin vacilar Mencía.

—Debes aceptar, madre, que Sanabria ya no está en condiciones de dar órdenes y que alguien tendrá que hacerlo en su lugar.

—Su hijo Diego —vaciló Mencía.

—Diego, madre, está lejos y bien sabes que aunque viniera no es quien sepa mandar.

—Yo no puedo... —volvió a titubear Mencía.

—Tú no tienes elección. Puedes elegir no dar órdenes y que las cosas sigan por sí mismas el peor camino o tratar de enderezarlas.

—¿Qué quieres decir?

—Sanabria ordenó buscar los mejores cirujanos. Eso no estará mal para él ni para nosotros.

—¿Qué?

—¿Quieres que viva o que muera?

—Yo... —dudó Mencía.

—No, no hace falta que me respondas. Tu marido ha exigido que vengan los mejores cirujanos y ellos sabrán si vivirá o cuándo morirá.

—Hija, con qué tranquilidad pronuncias el nombre de la muerte —se inquietó Mencía.

—Debemos, madre, saber qué ocurrirá si queremos salir de la esclavitud.

—¿Pero, a quién llamar; en quién confiar?

—Sin pero, madre, que así no resolvemos nada. Veamos qué tiene para ofrecer fray Agustín.

—Hazlo tú —pidió Mencía y volvió junto al lecho donde Sanabria permanecía borracho e inconsciente.

—No esperaba ser llamado tan pronto —murmuró a modo de saludo el religioso.

—Los designios del Señor son inescrutables —replicó María con ironía.

—Nunca mejor dicho —sonrió el religioso.

—¿O los vuestros? —inquirió la joven asaltada por una duda repentina.

—¿Los nuestros? —preguntó con seriedad el fraile.

—Perdona. Por un momento pensé en que el estado de mi padre podía deberse a causas como las que llevaron a la tumba al criado Alonso Martín... que Cabeza de Vaca te podía haber ...

—Perdonada estás —aseguró de modo cortante el fraile, que agregó—: pero que yo sepa nadie excepto el Señor ha tenido que ver con que se agravara la enfermedad de tu padre. Y si yo no entiendo mal, únicamente su mala conciencia es causante de su postración ante la idea de la muerte. Pero bien: ¿acaso me han llamado para que lo confiese?

—Moriría de terror.

—¿Para qué entonces?

—Ha pedido los mejores cirujanos.

—¿Y cuál es mi función en eso?

—Necesitamos tu ayuda para saber a quiénes recurrir.

—¿Quieren salvarle?

—No; yo no.

—¿Sin duda?

—Sin ninguna duda.

—¿Por qué tanto odio?

—No es asunto tuyo.

—Bien: ¿para qué quieres los mejores cirujanos? —retomó fray Agustín el diálogo de inicio.

—Mi padre los pidió.

—En el estado en que está no distinguirá unos de otros.

—Mi madre quiere que vengan; yo también.

—¿Qué pretenden?

—Ignoro lo que hay en el fondo de mi madre. Yo preciso confirmar que Sanabria no tiene esperanza.

—Entiendo y algún derecho te asiste —murmuró fray Agustín—. Pero cuánta dureza en el corazón —se dolió mientras movía la cabeza a uno y otro lado.

—Ya te veré impidiendo que el látigo llegue a la espalda de los indios con un bondadoso corazón —ironizó María.

—Es fácil terminar siendo como él.

—¡Qué sabrás tú! ¿Acaso has estado alguna vez en el lugar de las mujeres de esta casa? Pero no perdamos un tiempo que para Sanabria se ha vuelto escaso.

—Volveré con quienes pueda conseguir.

En las horas que siguieron, tres prestigiosos cirujanos desahuciaron a Sanabria.

—No llegará a ver la primavera —concluyeron.

Tras ellos, el fraile procuró acercarse al lecho del enfermo para batallar por su consuelo y por la salud de su alma. Sanabria creyó que recibía un cirujano más e hizo por incorporarse. A la vista del hábito aulló como si fray Agustín viniere a arrancarle los ojos a dentelladas. Sacó fuerzas de la desesperación y le atizó con un candelabro mientras vomitaba insultos cargados de terror. Sanabria volvió a sumergirse en el sollozo y el aguardiente, mientras el lastimado fraile retrocedía sorprendido por la puntería del doliente.

—Permite que te vea esa herida —se esforzó María por contener la sangre que manaba de la cabeza mientras dejaba que en su sonrisa brillaran destellos de burla.

—Permito —balbuceó el religioso.

—Esperaba que desviaras el candelabro con una buena palabra.

—Parece que tus palabras tienen más filo que las armas de tu padre —replicó fray Agustín, mientras ponía toda su atención en no quejarse.

—Precisaré de ti para lo de las buenas palabras —cambió María el sentido de la conversación.

—¿Qué dices?

—Habrá que cambiar; habrá que abrir brecha por donde la luz entre en esta casa.

—Ahora reconozco a una hija de Dios, aunque bien podrías esperar a que el cadáver esté frío —ironizó el herido.

—La esperanza es impaciente. Necesito que digas a Cabeza de Vaca que preciso verle.

—Es peligroso para ambos —vaciló el religioso, pero accedió—. Volveré con la respuesta. ¡Quién hubiera dicho que este aspirante a mensajero del evangelio se iba a volver recadero de conspiradores!

Poco tiempo y largas zancadas más habían transcurrido, y María ya sabía que la cita sería dos días más tarde en casa del capitán Salazar. El miércoles señalado, María vistió como quien procede de una casa en que se ha instalado la desgracia. Llegó con toda discreción y tal como había sido convenido, entró sin llamar. Tomó a la derecha por una galería techada, luego a la izquierda y volvió a girar a la derecha frente a la tercera puerta. Dentro se levantaron al unísono para recibirla fray Agustín, el capitán Salazar y Cabeza de Vaca.

—Con años o sin ellos Cabeza de Vaca será siempre el más interesante —encontró María. Hizo una mueca de irritación por el rumbo que habían tomado sus pensamientos, sonrió y saludó con cortesía exquisita a los presentes.

—Vaya —tomó la palabra Álvar Núñez—, si parece que en lugar de una conspiradora nos visita una embajadora.

En los ojos de María relampagueó la ira pero en un instante modificó el gesto, acentuó la reverencia e ironizó:

—Tales príncipes llevarían a equívoco a cualquier mujer.

—Bienvenida, señora. Había escuchado repetidas veces ensalzar vuestra gran belleza y ahora que tengo oportunidad de conoceros, sé que los elogios se han quedado cortos —terció Salazar, haciendo una reverencia.

—Bienvenida, doña María de Sanabria —saludó fray Agustín.

—Bienvenida... bienvenida —tornó a decir Cabeza de Vaca con calidez y algún matiz de burla—. Ignoro —agregó con dulzura— qué título he de darte, pero te doy la bienvenida. Siéntate y ponnos al tanto.

María aceptó y sin más preámbulo señaló:

—Nos reúne aquí la expedición que mi padre no dirigirá. Nos congrega una capitulación que habrá de recaer en mi hermanastro o perderse para nosotros. Nos convoca saber que Diego de Sanabria no es hombre de llevar espada y que si mantiene sus derechos, será nuestra oportunidad de hacerlo.

—Veo que ya te ves en el Río de la Plata. Muchos obstáculos habrá que superar para ello —observó Cabeza de Vaca.

—A eso he venido —y se detuvo como preguntándole hasta que punto podía hablar delante del capitán.

—Sin el capitán Salazar no hay expedición posible —obtuvo por respuesta.

—¿Qué he de hacer? —preguntó María, ahora dirigiéndose a los tres.

—No podemos correr el riesgo. Si adelantamos nuestros movimientos y Juan de Sanabria se recupera aunque solo sea por unos días, estará todo perdido. Todos los movimientos que hagamos hasta su muerte son pasos en falso.

—¿Y entonces?

—Por ahora, refrenar la impaciencia. De momento solo debéis ocuparos en conseguir el concurso de tu hermanastro. Mostrarle que dirigiendo la armada desde España, o haciendo como que la dirige, llevará la mejor parte. Demostrarle que así obtendrá una gran fortuna sin correr riesgo ni padecer incomodidad.

—¿Y luego qué?

—Ay, la impaciencia —sonrió Cabeza de Vaca.

—Poneos en mi lugar y veremos si sois capaces.

—Mucho hemos estado en tu lugar —observó Cabeza de Vaca, haciendo un guiño a Salazar. Con más seriedad agregó—: Para cuando el infierno se trague a tu padre, tendréis que haber persuadido a don Diego. Sin un completo poder a nombre de tu madre habrá problemas.

—¿Es todo cuánto puede hacerse?

—Por ahora sí.

—¿Y luego?

—Luego... luego —murmuró Cabeza de Vaca como soñando con las expediciones que había preparado— habrá que organizar la hueste.

Tras cambiar una mirada de inteligencia con el capitán Salazar agregó:

—Todo tipo de males te asaltarán en el camino y destrozarán la unión de los tuyos. Al menos es preciso que al inicio todos estén del mismo bando. Que obedezcan a una única voz de mando sin vacilar.

—¿Qué puede hacerse?

—Querida amiga: eres muy joven y eso juega en tu contra; eres una dama y eso te descalifica. Lo que puedas hacer será para que se obedezca sin vacilar al capitán Salazar.

María observó largamente a Cabeza de Vaca como esperando que continuara hablando. Luego detuvo su mirada sobre el capitán y casi de inmediato la fijó sobre el fraile. Después recorrió con sus ojos la habitación, mientras la duda que podía leerse en su semblante dejaba paso a la crispación y al desafío.

—Sin mí no habrá expedición —afirmó.

—Sin el capitán Salazar no habrá nadie capaz de guiarla —observó Cabeza de Vaca.

—Siempre habrá quien esté dispuesto a arriesgar.

—¿Quién, que tenga la calificación sin la cual no es posible llegar? Cualquiera sabe que si el acaso los condujere hasta ahí llegarían tan debilitados que poco podrían hacer.

—¿Acaso los del Río de la Plata no acatarán a quien llegue con nombramiento Real?

—Si fuere yo y tuviera que acatar una representante del gobernador nombrado por el Emperador así de bella no lo dudaría. Pero estos hombres que con malas artes me han derrocado ya no saben distinguir. Afrenta es decirle a alguno de ellos que tiene menos que cincuenta mujeres y como siempre ocurre, la cantidad les impide observar la calidad.

—¡Hablo en serio! —exigió María.

—Desgraciadamente es verdad que las mujeres son más esclavas que en cualquier otro sitio —replicó con tristeza Cabeza de Vaca, agregando con suavidad—. Sabes que admiro tu temple e inteligencia. También admiro tu belleza y más la estimo porque desdeñas conseguir cosas gracias a que eres hermosa.

—Me adulas en lugar de contestar.

—En este triste estado me encuentras porque la adulación no es mi fuerte —bromeó Cabeza de Vaca, para agregar luego con seriedad—. Por la admiración que te tengo y la lealtad que te debo te diré lo que probablemente no quieras escuchar. Necesitas saber que tus posibilidades de decidir o al menos influir no existen si careces de un hombre que te sea leal y lleve el mando.

María quiso contestar, pero se le anticipó Salazar.

—Respetuosamente —expresó con aplomo— debo deciros que ni yo ni ningún capitán capaz de ir a Indias se pondrá a las órdenes de una mujer aunque por su cuenta trabaje. Ni el honor lo permite ni la conveniencia lo aconseja. ¿Imagináis Señora, la burla de todos y cada uno de los marineros? Mucho me importa este viaje, pero desde luego no iré ni allí ni a parte alguna a vuestras órdenes ni a las de ninguna otra mujer. Por mucho —agregó procurando ser conciliador— que mi amigo Cabeza de Vaca a quien venero y reconozco como legítimo gobernador de aquellas tierras me haya hablado maravillas de esa mujer.

María adelantó el cuerpo como quien va a dar una estocada con sus razones, pero Cabeza de Vaca la contuvo y amistosamente observó:

—Lo que digas, dilo pensando que no llega lejos quien en la primera partida ya quiere volcar la mesa e interrumpir el juego.

—¿Acaso es la primera partida? ¿No he sido yo quién ha iniciado el juego? ¿No ha sido mi trabajo el que ha proporcionado una oportunidad? ¿No actué para descubrir, desacreditar y hasta para conducir a la muerte a quienes se oponían?

—Es verdad —aceptó Cabeza de Vaca. Con mucha inteligencia y tesón has hecho lo que muy poco le habría costado a un hombre de tu condición.

—La próxima muerte de mi padre debería ser el comienzo de un camino de libertad y gloria —murmuró María, sin poder evitar que se le ensombreciera el semblante.

—Temo que la muerte de tu padre mejorará la situación de muchos pero no resolverá la de nadie. Será bueno para mi gente en el Río de la Plata y para el capitán; para fray Agustín y los indios que pretende ir a servir; para tu madre, hermana y criados. También tu suerte mejorará.

—¿Todo por mejorar la suerte? —se burló María.

—A mi edad se sabe que no es poco.

—Prometiste ayudarme.

—Lo estoy haciendo.

—No es verdad.

—No puedo auxiliarte dejando que te engañes sobre tu situación. Para que una mujer pueda transitar veredas de gloria y libertad no alcanza la muerte de Juan de Sanabria ni la de todos los miserables como él.

Como dando por terminada la discusión, María asintió con un movimiento de cabeza aunque en sus ojos brillaba el desafío. Prometió:

—Señores, entiendo que continuamos en la misma nave y que la ayuda recíproca que podamos prestarnos es esencial. Volveremos a vernos en breve. María se despidió de todos, se incorporó y se dirigió a la puerta.

—Un momento. Si estos caballeros me conceden el honor —reclamó Cabeza de Vaca, mirando al capitán y al fraile— tendré el privilegio de acompañarte hasta la puerta.

Sin aguardar respuesta ofreció el brazo a la joven y cuando se alejaron de los otros, preguntó a modo de despedida:

—¿Sabes que sigo estando de tu parte? Tal vez debí haberte prevenido que para Salazar, mujer sin varón es peor que navío sin timón.

—Confío en ti pero: ¿por qué este capitán? —replicó irritada antes que divertida por la expresión.

—Deberás entender que no hay navegación tan segura en la cual, entre la muerte y la vida, haya más que el grueso de una tabla.

—¿Y?

—Todo te molestará de Salazar, pero no deberás temer que le falte valor ni lealtad.

—Confío en ti —murmuró María, se alejó sin esperar respuesta y se detuvo discretamente tras el portal. Aguardó a que su criada le indicara que la calle estaba desierta y sin mirar atrás se marchó.

Los breves días y las largas noches de enero se sucedieron sin cambio en casa de los Sanabria. La última tarde de ese mes llegó Diego, fatigado y quejoso por la mucha agua y el abundante frío del camino. Bajó del carruaje y se detuvo como esperando que vinieran a indicarle qué debía hacer. Entró renuente a la habitación en la que agonizaba su padre y salió con la presteza de quien huye de la muerte. Trató con vagas muestras de cariño a la esposa de su padre y a sus hermanastras e incluso se interesó por la suerte de la servidumbre. Resumió su disposición a abandonar la vida cómoda que llevaba diciendo que cuando viere a los peces por tierra caminar, entonces iría a navegar. Preguntó a Mencía por los bienes de la familia, por las disposiciones del testamento de su padre y por el destino de la capitulación. Se mostró dispuesto a acceder a cuanto se le pedía desde que entendió que no solo podría continuar con la vida que hasta entonces llevaba en Salamanca, sino que dispondría de más recursos para ello. Firmó sin vacilar los poderes que Mencía le sugirió e incluso insistió en hacerlo en papeles en blanco para salvar posibles omisiones. Diez días más tarde empezó a hacer comentarios sobre la conveniencia de seguir atendiendo sus asuntos; acerca de la imposibilidad de hacer cualquier cosa distinta a rogar por su padre y que para plegarias, Salamanca no era peor que Sevilla. Aceptó con resignación el pedido de Mencía para que aguardara un desenlace que los cirujanos no vacilaban en señalar como inminente. Al igual que todos mantuvo las apariencias el viernes en que el cuerpo de Sanabria no pudo más y el sábado en que lo llevaron a enterrar. El veinticinco de febrero anunció su partida sin entristecerse ni causar dolor. Esa tarde repartió y recibió corteses deseos de buenaventura y al amanecer del día siguiente se marchó. Cuando el carruaje desapareció de la vista de quienes lo despedían, María tomó del brazo a su madre, anduvo con ella unos pasos, sonrió y aseguró suavemente:

—Bien; hoy es comienzo de una nueva vida.

—Bien, hija, aunque me gustaría que muchas cosas no sean como son —suspiró Mencía.

—También a mí: ¡en las Indias será diferente!

—Es posible, pero vayas donde vayas llevarás tu condición.

—¿Y qué ocurre si tu condición es no someterte a lo que tu condición te impone? —bromeó María.

—Ah, hija: ¡cómo admiro tu esperanza!

—Recobrarás la tuya.

—Si alguna vez la tuve... ya no.

—Es preciso si quieres ayudar a evitar que tu hija sea la más desgraciada de las mujeres.

—Sabes que por ti haré cualquier cosa. Pero no está en mí tener ilusión.

—Cambiarás.

—Dios te oiga; Dios nos lleve al Plata.

—Deja a Dios para la hora de misa que mucho tenemos que hacer nosotras.

—Tú, hija, pareces saberlo todo y yo no sé ni por donde empezar.

—Confía en mí.

—No se que haría si no confiara en tí.

—Haré citar al capitán Salazar. Habrás de darle poder sobre el poder que te ha dado Diego. Él sabrá moverse en la Corte para que reconozcan los derechos del hijo de tu marido sobre la capitulación. Deberás darle pleno poder; transferirle todo el mando... pero...

—¿Pero qué?

—Pero... pero juro que no estoy haciendo todo esto para dejar de ser esclava de los hombres en España y serlo de los de Indias. ¡Mujer sin varón peor que navío sin timón! ¡Será necio! —murmuró María.

—Confío completamente en tí; en tus manos me he puesto. Pero a veces dudo que estés en tu sano juicio.

—Salazar deberá pero no deberá tener el mando.

—¿Qué dices?

—Salazar deberá ocuparse de nuestros intereses en la Corte, capitanear las naves y guiar la expedición a través de la selva. Pero en nuestras manos deberá continuar el poder.

—¿Así se lo dirás? ¿Quieres que se ría de tí?

—Tendré tantos incondicionales que no podrá evitarlo.

—Sueñas, hija. No conoces a los hombres. A la vuelta de la primera dificultad desdeñarán el mando de cualquier mujer. A menos que estés dispuesta —murmuró Mencía mientras una mueca de sorpresa se dibujaba en su semblante— a encadenar con promesa de amor y matrimonio al capitán Salazar.

—No, madre —rió largamente María—. Si te interesa, te dejo esa opción a ti.

—¡Hija!

—Madre —replicó María todavía entre risas, para continuar apasionada—. ¡Tienes que empezar a creer que estamos al mando; necesitas quitarte gran parte del fardo de la vergüenza!

—¿Quieres que haga eso?

—¿Eso lo del capitán o eso lo de la vergüenza? —volvió a reír María.

—Lo primero, que lo segundo lo veo claro en ti, aunque sin encontrarle la misma gracia.

—No, madre —susurró María mientras la abrazaba— lo que quiero es que aprendas a hacer lo que deseas.

Mencía se separó de su hija, apoyó ambas manos sobre sus hombros de modo que sus rostros quedaron exactamente enfrentados y suavemente aseguró:

—Tengo escasa iniciativa y menor esperanza, pero no me faltan luces. No me ilusiono. No conseguirás mantener el control. No conoces a los hombres.

—Es verdad, o al menos no los conozco tanto como quisiera —provocó María.

—¡María!

—Otra vez lo de la vergüenza, madre —rió la joven para agregar—: pero en este caso estoy hablando de mujeres.

—¿Qué quieres decir?

—Que en el Río de la Plata no hay mujeres españolas. Que cuantas más vayan en la expedición, más contentos estarán en la Corte. Necesitan que los conquistadores que allí están aislados se casen y que haya hijos legítimos de españoles. Necesitan frenar el intolerable abuso con las indias.

—No les importamos nosotras: ¿qué les puede importar la suerte de esas desdichadas?

—Arriesgan a perder el país, porque los mestizos ya son diez por cada español. No reponen a Cabeza de Vaca en el mando porque saben que no tienen fuerza para ello.

Aceptarán de buena gana todas las mujeres casaderas que queramos llevar.

—Pareces creer —contestó Mencía a pesar de su sorpresa— que las mujeres nos serán leales; que somos mejores que los hombres.

—Sé, madre, que tenemos a los hombres como enemigo común. Es tan importante que nadie sepa lo que nos proponemos como que acertemos en la elección de nuestra hueste de mujeres.

—¡Estás loca! —rió Mencía.

—¡Locas estamos! —parodió María a su madre, y rompieron a reír.

IV

La noche había transcurrido fría y rica en estrellas. La brisa mezcló el tañido de las campanas de Sevilla anunciando las seis. Todavía faltaba para que se insinuara la aurora del primer domingo de marzo de 1548, pero María se incorporó como quien ha dormido esperando que amanezca. Vistió con sencillez, se arregló con prisa, se cubrió con una capa y fue a la cocina, donde la lumbre y el ligero humo decían que ya se había iniciado la tarea.

Las mujeres que amasaban y cantaban por lo bajo, la saludaron con pequeña reverencia y ancha sonrisa. María devolvió el gesto con la amabilidad de quien se interesa por la tarea de prójimo. Tras unos instantes había comprobado que todos estaban desempeñando la tarea que se les había reclamado. Les acompañó en su labor en la actitud de quien al tiempo vigila y alienta, hasta que en el firmamento apareció rosado anuncio del nuevo día. Tres campanadas proclamaron que faltaban quince minutos para las siete. Para entonces los sirvientes habían terminado de abastecer ricamente una larga mesa y como siguiendo un guión muy precisamente preparado, se retiraron. Fray Agustín salió entonces de la penumbra desde la que había estado observando, y se entusiasmó:

—¡Buen día; gran día!

—¡Dios lo quiera! —contestó María y se dispusieron a verificar todos los últimos detalles, hasta que el fraile se despidió—: hasta más tarde, que allí vienen mis criaturas.

Cinco mujeres y cinco hombres muy jóvenes hicieron una reverencia antes de entrar y dieron los buenos días. El religioso se unió a ellos, los condujo al patio, los formó y se dispuso a aguardar junto a ellos en absoluto silencio. Agazapados permanecieron hasta que se hubo apagado el eco de la séptima campanada. Entonces, once voces musicales entonaron con vigor el Ave María. La solemnidad sacudió el silencioso aire y despertó a todos avisando la maravilla del comienzo de un nuevo día. Los sirvientes se asomaron incrédulos y devinieron alegres. Avergonzados del propio aspecto corrieron a adecentarse para regresar antes que la música acabara. Sin entender qué ocurría, sin atreverse ni desear interrumpir, esperaron embelesados que la música continuara. Aún después que el eco del último acorde se desvaneció, permanecieron en el silencio alegre que se guarda en un bautismo.

—Mi madre —apartó María el silencio, mientras paseaba su mirada sobre los presentes— me ha pedido que hable en su nombre. Mi madre afirma —aseguró, sonriendo y señalando con la mirada hacia donde estaba Mencía— que las cosas han cambiado. Dice que ahora que el Señor ha llamado al que fue su marido y desde que don Diego ha vuelto a Salamanca, le toca a ella dirigir esta casa. Mi madre os desea que Dios esté con vosotros. Mi madre ruega porque el Señor le asista con su sabiduría y le permita ser generosa con el justo e implacable con el malo. Mi madre quiere recordaros que el camino al Río de la Plata sigue abierto para esta casa y para todo aquel que haga los méritos bastantes. Mi madre desea y yo también —agregó María como avergonzada por incluir su propio parecer— que haya concordia en el esfuerzo. ¡Es hora —sonrió María señalando con la mirada la gran mesa sobre la que aguardaba el magnífico desayuno— de reparar fuerzas antes del inicio de los muchos trabajos que nos aguardan en Sevilla si queremos llegar con felicidad a las Indias!

La joven esperó un instante como midiendo el efecto de sus palabras. A continuación se acercó a Mencía, Mencita y fray Agustín y con ellos se dirigió a un extremo de la mesa. Los estupefactos criados no se movieron de su sitio y se interrogaron con la mirada. Se mantuvieron en la quietud de quienes, habiendo escuchado la invitación, no se atrevían a creer que estuvieran convidados. Algunos pusieron los ojos en quienes habían participado en el coro o preparado los alimentos, pero tampoco ellos se aventuraron a responder algo tan evidente como absurdo.

—¡Marta! —llamó María a su criada— ve con ellos y diles que la distancia entre quien manda y quien obedece, es por fuerza distinta en la mar. Diles que es deseo de mi madre que iniciemos juntos el día del Señor. Que a la mesa vengan.

Un murmullo y un ruido tímido de pasos siguió a las palabras que la criada trasmitió. Los cohibidos sirvientes se acercaron a la mesa dubitativos entre el recato y el suculento desayuno.

—¡Alegraos hermanos! —tronó fray Agustín—. Poneos de pie para bendecir el pan. ¡Qué Dios nos permita llevar Evangelio, salvación y vida eterna a las Indias! Ahora hermanos —sonrió— a dar cuenta de buena gana de este pan que el Señor nos ha concedido. ¡Adelante!

—Empieza tú que eres el capitán —ironizó María al oído de su madre—. Verás como los demás te siguen.

Mencía obedeció, el fraile la imitó, le siguieron María y Mencita. En un instante la atención a los olores y sabores aflojó las amarras que impedían a un criado tal cercanía con sus amos.

—¡Atención! —volvió a reclamar María cuando las campanadas anunciaron las siete y media—. Mi madre ha pedido que diga que ella, mi hermana y yo nos retiramos para vestirnos como la ocasión exige. Que os recuerde que puntualmente cuando den las ocho, todos debéis dejar la mesa e ir a prepararos para asistir a la iglesia.

Sin esperar respuesta, las mujeres saludaron con sonrisa e inclinación de cabeza y se marcharon. El fraile hizo lo propio y se alejó en dirección contraria. El silencio se adueñó fugazmente de la mesa pero cedió sitio al murmullo, la sonrisa, el comentario alegre y la risa fraternal. Sin pausa, el desayuno supo a gloria hasta la primera de las ocho campanadas anunció a los criados que el plazo se había cumplido.

María vivió la rutina de aquel domingo como el tripulante que tras muchos días de niebla espesa, navega bajo la caricia del sol. Volvió sin agobio a las preguntas que antes la atormentaban. "La casa ha enderezado el rumbo", se decía "pero no debo engañarme. Todos están más contentos, pero: ¿en quienes confiar; cómo saber quienes me serán leales? ¿De qué manera, si ni siquiera ellos mismos saben hasta dónde les alcanza el valor; hasta qué punto llega su resistencia?"

Disfrutó el luminoso día aunque descartaba una y otra vez en su interior las soluciones que ella misma ideaba. Cuando el azul del cielo empezó a tornarse negro sobre la ciudad, continuó masticando sus dudas, sin que se desdibujara en su rostro la expresión de serenidad de quien combate confiado en sus fuerzas.

"Carezco de experiencia", movía la cabeza y apretaba los dientes, como negando, "y eso no puedo arreglarlo. Me falta un consejero y tal, solo puedo conseguirlo a medias", aseguró para sí pensando en Cabeza de Vaca. "¿En quién confiar plenamente?", se interrogó una y otra vez para concluir sonriendo: "solo en mí. No es que mi madre no lo vaya a dar todo por Mencita y por mí, pero ni se atreve a pensar en la gloria. La dulce criatura que tengo por hermana se dejaría morir antes que hacer daño; será más un tesoro a custodiar que un aliado. ¿Y el capitán Salazar?

No, no...", negó María con la cabeza. "¡Qué tontería!", se reprochó y repitió "¡Qué tontería!: Salazar ni siquiera imagina lo que hay en mi corazón, ni lo entendería, y si lo entendiera, se espantaría".

"¡Me niego a resignarme! ¡No pasaré de la tutela de unos hombres en España al dominio de otros en la mar y luego en el Río de la Plata! ¿Y si confiara en fray Agustín?", evaluó María, "podría ser buen cómplice porque la pasión con que quiere defender a los indios lo guía, pero: ¿cómo saber que puedo fiarme de él; qué prueba de lealtad puedo pedirle?".

"Agustín, fray Agustín", repetía María para sí, como si rondara en su cabeza el nombre de su amado. Se detuvo bruscamente, se golpeó la frente con la palma de la mano y como incrédula de haber encontrado una solución murmuró: "ya sé".

Dispuesta a llevar a cabo cuanto había pensado le hizo conocer que deseaba un amplio espacio de tiempo para su confesión y que quería que tal fuere el siguiente amanecer. Cenó con Mencía y Mencita y se retiró temprano para repasar los puntos débiles de lo que iba a intentar. Al alba fingió que rezaba mientras volvía a considerar lo que iba a proponer. Cuando el fraile se hizo presente le dio los buenos días y sin más afirmó:

—Fray Agustín; reverendo. Confesarme quiero, pero hacerlo como si conversara contigo; como si pudiera discutir las inquietudes que hay en mi alma y que también te involucran.

—Extraordinario discurso —bromeó el religioso—. Pero no entendí ni donde quieres llegar y ni siquiera hacia donde has apuntado.

—Eres entre quienes conozco quien está más dispuesto a hacer por el prójimo lo que Jesucristo hizo por todos.

—¿Tu confesión es para hablar de mí o de tí?

—¿En quién puedo confiar?

—El mundo está lleno de buena gente.

—No contestes tonterías —se irritó María.

—No puedo responder adecuadamente si no acierto a adivinar dónde quieres llegar. ¿Por qué no te dejas de preámbulos?

—¿Cómo puedo saber si puedo confiar en tí?

Fray Agustín fue a contestar pero se detuvo, movió repetidamente la cabeza a un lado y otro en gesto de negar y tras ello observó:

—No hay una manera.

—Sí la hay.

—¿Cuál?

—Si te digo te horrorizarás.

—Muchas cosas dignas de causar espanto escucho en boca de quienes se confiesan y no me horrorizo.

—De eso se trata, pero te parecerá abominable.

—Te escucho —afirmó el fraile con un gesto a mitad de camino entre la curiosidad y la confianza en sí mismo.

—Me atormenta saber que no hay manera segura de conocer en quién puedo confiar. Igualmente me amarga ver que todo lo que estoy haciendo para dejar de ser sierva de unos necios en España apenas servirá para serlo de otros en la mar y en las Indias.

—No concretas.

—No habrá nunca hombres de talento e iniciativa en quienes pueda confiar. Más tarde o más temprano se sentirán seguros y querrán llevar el mando.

—¿Y eso qué tiene de malo?

María lo miró con ira, luego con curiosidad y después, como si estuviera dialogando con un individuo del todo inocente, sonrió y murmuró:

—Es obvio que no tienes idea de lo que significa estar en las circunstancias de una mujer.

A continuación, su semblante recuperó la pasión desde la que exponía sus argumentos y prosiguió:

—Preciso hacer las cosas por mí; ser yo quien defienda a los míos y la justicia; alcanzar el mérito de haberlo hecho.

Nunca conseguiré hombres que me secunden. Nunca, a menos...

—¿A menos qué?

—Excepto si muchas mujeres, tantas como para que no puedan avasallarme, son mi hueste. Mujeres deben ser el escudo que me proteja y la espada que me secunde.

—¿Quién te ha dicho que puedes confiar más en las mujeres que en los hombres?

—Ellas y yo tenemos un enemigo común. Pero para lograr lo que me propongo dependo de tí.

—¿De mí?

—Debe haber entre las mujeres algunas capaces de todo.

—¿Y piensas fiarte de ese tipo de mujer? Debes estar loca.

—Tiene que haberlas capaces de todo y que al mismo tiempo sean de fiar.

—Y lo irás preguntando por los arrabales, las cárceles o los burdeles para encontrarlas —se burló fray Agustín.

—Lo que voy a decirte te va a horrorizar. No me contestes ahora. Vete y cuando lo hayas pensado me dirás que sí o que no.

—Adelante —sonrió el fraile— con lo que me va a horrorizar.

—Preciso que rompas conmigo el secreto de confesión.

—¿Qué?

—Preciso mujeres que por una causa justa hayan sido capaces de pasar por encima de todas las leyes humanas.

—¿Te das cuenta de la blasfemia que hay en tus palabras? —inquirió lívido el fraile.

—No blasfemo. Las salvarás del peligro en que están en este Reino. Sirviendo en Indias tendrán oportunidad de redimirse. Me salvarás a mí. Salvarás a tus indios de las máquinas de guerra y ambición que son los hombres. Si haces lo que te pido te habrás puesto en mis manos, porque bastará que yo diga una palabra para que te condenen por haber violado el sagrado secreto de confesión, delante de una mujer. Te habrás situado a mi merced y no te defraudaré. Me tendrás sin condiciones de tu lado para que puedas llevar el evangelio a los indios. Tu alma bordeará los fuegos del infierno pero no caerá porque hay justicia en lo que he hablado. Ahora vete y que Dios nos ayude.

Durante las siete jornadas que siguieron, falsa o verdaderamente enfermo, fray Agustín no salió de su celda. Macilento, al amanecer del día lunes 13 reanudó la actividad.

—María de Sanabria: tan grande era tu pregunta que Dios no me ha dado el mínimo indicio —murmuró sin preámbulo y con voz entrecortada—. No me ha señalado el camino del sí, ni tampoco el contrario. Temo; pavor tengo a un error de esa magnitud. ¿Acaso Dios calla para indicarle a sus siervos que están obligados a decidir?

—¿Y bien? —inquirió María tratando de ocultar bajo la dulzura de su voz la inquietud que la dominaba.

—He de hacer parte de lo que pides.

—Explica.

—No seré yo quien viole el secreto de confesión. Hablaré con las mujeres que buscas. Les diré que vayan a ti y que en ti confíen.

María contuvo en parte su alegría, reprimió el impulso de abrazarle, hizo gesto de arrodillarse y luego, como si acabaran de anunciarle la salvación de su alma, musitó:

—gracias.

Fray Agustín no consiguió articular palabra, esbozó una sonrisa que quedó congelada en sus labios, tragó saliva y restregó sus ojos como si le picaran o quisiera disimular una lágrima inoportuna.

—En unos días —musitó el fraile— te visitarán las mujeres que me pides. Haré cuanto pueda para que te cuenten sus historias sin omitir detalle —agregó antes de marcharse adoptando la actitud de quien tiene sus minutos contados.

A media mañana, el martes de la última semana de marzo del año de 1548, Juana Pérez llegó a casa de los Sanabria, preguntando por María. Pequeña, se abrigaba en exceso para la temperatura que a esa hora se había vuelto agradable. Cubría completamente el largo cabello y excepto sus manos y parte de su rostro nada mostraba de su cuerpo. Sin embargo, bajo la espesa ropa se adivinaba una agilidad en los movimientos parecida a la de los gatos que empezaban a abundar en Sevilla. Sus ojos negros parecieron brillar cuando entró en la semipenumbra de la sala que había sido sitio de trabajo del fallecido Juan de Sanabria. Saludó apenas inclinando la cabeza y presentándose a sí misma, aseguró:

—Ha dicho fray Agustín que precisas gente para ir al Río de la Plata.

—Es verdad —replicó María—. Gente muy especial busco.

—No sé que ha dicho fray Agustín.

—Nada, pero si te ha enviado, posiblemente seas la persona que busco. Pero espera —pidió María mientras servía agua fresca para ambas.

Juana sonrió, agradeció y afirmó:

—¿El ama sirviendo a la criada?

—La distancia entre capitán y tripulante es distinta en la mar.

—Me gusta lo que dices: ¿qué quieres de mí?

—Preciso gente en la que pueda confiar absolutamente.

—Yo también —sonrió irónica Juana.

—Quiero que te pongas en mis manos.

—¿Por qué habría de hacerlo?

—Ha dicho fray Agustín que soy tu única puerta de escape a los peligros que te acechan.

—¿Qué sabes de ello? —se alarmó Juana.

—Que son muy graves. Que pueden pillarte por lo que has hecho y que no cree fray Agustín que hayas ofendido mortalmente a Dios con ello.

—Tú pides que me ponga en tus manos: ¿por qué habría de confiar en tí?

—Porque en definitiva, solo tienes la vida para perder y dice fray Agustín que si te quedas aquí, acabarás de mala manera.

Juana suspiró, movió la cabeza a un lado y otro como alejando malos pensamientos. Sonrió y aseveró:

—Es verdad. Pero no busco ampararme en la protección de cualquiera.

—Yo no soy cualquiera.

—¿Acaso crees que tu noble apellido me obliga a confiar en tí? Para que me ampare en tí, primero tendrás que confiar en mí.

—Confío en ti —ironizó María.

Juana no respondió pero sacó de debajo de su falda un puñal de doble filo, pesado mango y aguzada punta. Con un gesto invitó a María a que se pusiera de pie. La tomó del brazo y la guió hasta un extremo de la habitación, junto a un lienzo enmarcado en gruesa madera.

—Así, completamente quieta —le reclamó que permaneciera con la espalda rozando el cuadro. —Un poco más a tu izquierda —indicó y María se movió hasta que su hombro tocó ese costado del marco.

Juana Pérez se alejó hasta el otro extremo de la sala y sonrió mientras acariciaba el puñal:

—¿Estás dispuesta; estás segura de no gritar?

—Estás loca —murmuró María.

—Bien: no tienes más que decirlo si quieres que me marche —ironizó Juana.

—Espera, espera.

—Decídete; confías o no confías.

—Sí —masculló María cerrando los ojos y apretando los dientes.

—Ojos abiertos —exigió Juana. María alzó los párpados y miró incrédula el modo en que Juana sopesaba cuidadosamente el puñal. La siguió con los ojos muy abiertos y la respiración contenida mientras adelantaba el pie izquierdo, llevaba atrás el brazo derecho, sonría y lanzaba el cuchillo. Sintió el ruido de la madera al abrirse a tres dedos de su oreja y miró de reojo el puñal que cimbraba a su lado.

María quedó en su sitio con los ojos desmesuradamente abiertos. Juana se acercó, retiró con dificultad el puñal y le sonrió con afecto antes de susurrar:

—Parece que estaré a tu servicio.

La lividez cedió paso al rojo intenso en el semblante de María cuando tomó conciencia de haberse orinado. Consiguió controlar la voz, se excusó diciendo que volvía en un momento y minutos más tarde, con diferente ropa y cambiado talante regresó.

—Te escucho —aseveró.

—Lo que has visto —murmuró Juana—, es el final de una historia que solo he confesado a fray Agustín. Hace ahora un año me enamoré del mejor de los hombres. Fuerte para ser padre de mis hijos y mi señor; dulce para quererle; listo para admirarle; risueño para que mi corazón estuviera todo el día de fiesta; fiel que no miraba a otra que no fuera yo. Lo llevé a mi casa y mi padre lo recibió como un hijo. Recogió como paga ser denunciado porque mi maravilloso amado cambiaba no sé qué pena de galeras por averiguar cosas que la inquisición quería saber. Para mi hombre yo fui la llave que abrió la puerta de nuestra casa y de nuestra mesa. Mi padre era buen cristiano pero no había podido vencer la repugnancia inculcada por sus mayores, a comer carne de cerdo, y eso bastó para confirmar las sospechas que sobre él pesaban. En la tortura habló con verdad o sin ella sobre cuantos le exigieron, y muchos de nuestros parientes también fueron detenidos. Volvió mudo a casa, me abrazó, se fue a su habitación y se colgó. Aprendí a arrojar el puñal y vigilé los movimientos de mi amado delator. Cuando estuve segura de sus pasos y mis fuerzas me embocé en gruesa capa y salí a su encuentro. Me crucé con él cuando ya estaba oscuro. Continué mi camino y a diez pasos le llamé. Se volvió, tal vez sorprendido porque una mujer hablara desde el atuendo de un hombre; quizás porque reconoció mi voz. Fue a decir algo; fui a escupirle mi odio; insinuó un saludo; le sonreí y segura de la facilidad con que un puñal hiende la garganta de un hombre arrojé el primero de los tres que llevaba preparados. No fallé pero hizo ruido al caer y atrajo la atención. Debí escapar y no pude recuperar el acero justiciero. El Santo Oficio no cesa en su afán de averiguar quienes matan a sus hombres y preguntando por el puñal ya se acercan a mí. No es que me pese lo que hice; orgullosa estoy. He pensado en quitarme la vida, pero temo exigir demasiado de la indulgencia de Dios. He meditado entregarme, pero temo a la tortura. Sé que tarde o temprano darán conmigo y no puedo vivir con eso. Elaboré mil planes de fuga pero no soy tan ingenua como para ignorar que no hay cueva en la que no me alcance el largo brazo de la inquisición.

—Vendrás conmigo —se apasionó María.

—Me encontrarán y labraré también tu desgracia.

—¡No te encontrarán! —aseguró María y calló en la actitud de quien busca una solución—. Te esconderé. Le diré a mi madre que te envíe a Medellín, a casa de mi abuela. Nadie encontrará raro que hayamos enviado una criada de confianza. No tendrás nunca que volver por Sevilla. Te esconderé a bordo cuando estemos por zarpar en la desembocadura del río, en Sanlúcar.

Como satisfecha con el plan que había trazado, agregó:

—Hay trampas para embarcar gente sin permiso Real. Tu confía en mí.

—¿Y ahora qué? —preguntó Juana—. ¿En cuánto tiempo: mañana, en una semana, en un año la inquisición llegará hasta mí?

María apoyó su mano derecha sobre el hombro izquierdo de Juana y a modo de despedida indicó:

—Vete y no vuelvas, que no conviene que te vean entrando a esta casa. Déjame estar sola para asegurarme que he pensado bien los detalles. Te haré avisar con fray Agustín. Cuando sea el día desordenarás tu casa y dejarás manchas de sangre, como si ladrones hubieran entrado y te hubieran atacado. Cuando la oscuridad te ampare traerás cuanto sea pequeño y de valor, especialmente los puñales —bromeó María— y antes que amanezca el siguiente día estarás camino de Medellín en carruaje guiado por mudo cochero. ¡Vete, que nadie te vea y prepárate!

—Dos más como esta —evaluó María llena de satisfacción—, serán suficientes. Pletórica de entusiasmo, intentó descargarse de las tensiones que oprimían su cerebro atendiendo los mínimos detalles de la actividad de la casa. Así transcurrieron los breves días hasta que llegó Justa Velázquez, la segunda de las mujeres enviadas por el fraile.

—¿Qué tendrá para decirme? —se inquietó María comparándola mentalmente con su antecesora—. Cuando Juana llegó frente a mí, sus ojos brillaban como puñales —recordó para sí—. Y los de esta mujer —se estremeció María— están apagados como quedaban los de mi madre luego de las palizas. Mientras no quiera también —ironizó reprimiendo una sonrisa— probarme su destreza con el cuchillo...

Al cabo preguntó a modo de bienvenida:

—¿Sabes las razones que he tenido para enviarte a llamar?

—Ha dicho fray Agustín que si te convences de mi utilidad me llevarás a las Indias.

—¿Por qué crees que me serás útil? Trata de convencerme —pidió María.

—He venido empujada por el reverendo padre. No conseguiré convencerte.

—Seguro que si empiezas así, no lo harás. Dime que ha pasado; explica por qué te va la vida en dejar estos reinos.

—¿Si me fuera la vida me llevarías?

—No depende de ello.

—¿Entonces?

—Te llevaré si te pones en mis manos y me eres útil.

—Puedo hacer lo primero. Qué más da —murmuró encogiéndose de hombros—. Pero lo segundo ...

—Deja que yo decida por lo segundo. Ponte en mis manos que puedes ganar, y si yo soy un digno capitán, no tienes nada que perder.

—¿Tú, un digno capitán? Perdona la sinceridad de mis palabras, pero creí que fray Agustín quería que contara mi desgracia a una mujer cuerda.

—Yo, un digno capitán —afirmó altiva María— que además es de momento tu única tabla de salvación.

—No quise ofender —murmuró Justa.

—No lo has hecho. Ahora disculpa un minuto que ya regreso. Espero que para entonces hayas decidido confiar en mí. No habrá una segunda oportunidad —afirmó María mientras se alejaba con el propósito de dejar que Justa tuviera tiempo para evaluar lo que se le ofrecía.

—Bien —respondió Justa e igual hizo cuando María retornó. Con la dificultad del que explica lo que no puede aceptar aseguró—: abreviaré. Mi padre abusó de mí durante años y mi madre lo permitió. Cuando tuve edad para acusarlo, fuere porque no me creyeron o para evitar escándalo, no recibí ayuda. Un día como cualquier otro agregué vidrio molido a su comida y lo maté sin medir las consecuencias. Solo mi madre o yo podíamos ser culpables y a las dos nos encarcelaron. Falta me hubiera hecho saberlo antes —murmuró Justa con una sonrisa apagada— pero recién en prisión aprendí que hay cien maneras de envenenar sin dejar rastros. También aprendí sobre el dolor. Aprendí, por ejemplo, que quienes no aguantan la tortura mienten. ¿Sabes lo que es la garrucha? No, una niña de buena familia no debe saberlo. Con la misma soga te amarran las manos a la espalda y te izan. Atan peso a tus pies y los dejan muy cerca del suelo. Crees que puedes estirarte medio palmo para descansar pero no puedes... Para que la descolgaran mi madre me acusó a gritos. En poco rato confesó una culpa que no tenía. En cambio, yo aguanté el suplicio y me mantuve firme en mi inocencia. Al final, mi madre fue condenada y yo quedé libre. Ni entonces ni ahora me asaltó el menor remordimiento. Solo quiero irme para nunca más volver.

—¿Crees que alguien sospecha de tí? —interrumpió María con dulzura.

—Puede —dejó escapar entre los dientes apretados por el odio— pero es difícil que me acusen. Tendrían que aceptar que les pedí auxilio y no me lo prestaron.

—Te llevaré.

—Gracias —respondió Justa sin ninguna emoción.

—Me serás útil.

—Que así sea.

—Sepultarás el pasado en la mar —alentó María.

—Que así sea —repitió Justa para luego preguntar—: ¿dónde encuentras utilidad en alguien como yo?

—En la mar y en el Río de la Plata estaré demasiado expuesta a los hombres necios. Necesito criadas de las que fiarme.

—¿No te fías de tus criadas?

—Sí y no: ¿cuál de ellas será capaz de sacarse miserables de encima como tú lo has hecho?

—¿Cómo sabes que no te traicionaré?

—Te has puesto en mis manos. Soy para ti esperanza de volver a nacer. Me servirás y obedecerás.

—Estoy contigo —aseguró Justa—. Estoy a la espera de tus órdenes —reafirmó a modo de saludo y despedida.

"Repugnantes hombres", murmuró para sí María cuando quedó sola. "Inmundos", reiteró mientras involuntariamente accedía a su conciencia el recuerdo de Juan de Sanabria y el asco se dibujaba en sus facciones. Un instante después murmuró: "y la madre, igualmente asquerosa", al tiempo que su gesto devenía sonrisa al evocar a Mencía como una de las joyas de la propia buena fortuna.

"Repugnantes hombres", murmuró muchas veces María en los días que siguieron. "Asquerosos", se decía, sin conseguir aventar del todo la inquietud. "¿Por qué mi curiosidad sobre ellos?", se preguntaba. "Acaso es una de las formas que tiene la debilidad de la mujer? ¿En verdad las amazonas se habrán librado de ellos? Sin embargo...", dudaba María pensando en algunos de los jóvenes que con todo disimulo observaba en la iglesia y en la calle. "Sin embargo", se esperanzó, "Cabeza de Vaca no debe haber sido vil y como él otros habrá. ¿Y si pregunto a mi madre?", se decía para contestarse: "¡pobre Mencía; qué podrá saber sobre hombres! Bien, María", se decía a sí misma procurando tranquilizarse, "dudas mucho mayores que éstas se te presentarán; ahora a no perder tiempo".

Así, dedicando toda su energía a la buena marcha de los quehaceres en una casa que se aprestaba a pasar a Indias, se sucedían sus jornadas. Pronto llegó el verano del año 1548 y luego el frío que anunciaba el año siguiente. Como si no hubiera costado esfuerzo llegó la confirmación de los derechos que por herencia correspondían a don Diego de Sanabria y la exhortación real para que la expedición zarpara con urgencia.

A fin de marzo del año de 1549 volvió el capitán Salazar de la Corte. Ni el éxito obtenido ni la posibilidad de regresar a las Indias modificaron su talante gris. Tomó el mando sin vacilación y sin entusiasmo; empezó a dar órdenes sin arrogancia, pero sin ganas. Ocasionalmente visitó la casa de los Sanabria en compañía de hombres de mar que empezaba a reclutar para el viaje. Por entonces, al igual que Juana Pérez y Justa Velázquez, también Josefa Díaz llegó a esa casa precedida por un ruego y advertencia de fray Agustín.

—Te suplico —había pedido a María— que la ayudes y te prevengo —le había advertido— que puede ser para ti la más funesta de las influencias.

No sin expectación, se dispuso a recibirla. Encontró una mujer que al igual que las anteriores, no alcanzaba los veinte años. Más alta y menos enjuta que Juana y Justa, dejaba ver parte considerable de sus formas redondeadas y vestía de modo que se adivinara el resto.

—¿Por qué me habrá enviado fray Agustín una puta? —se interrogó María cuando estuvo frente a ella—. Esta es —evaluó a pesar de su falta de experiencia— de las que paraliza el trabajo en el puerto cuando se pasea en sus inmediaciones—. No parece precisar puñal ni veneno porque debe tener muchos que matarían por conseguirla —pensó mientras reprimía difusa sensación de envidia.

—Fray Agustín me ha rogado que viniera a verte —canturreó Josefa en un tono que a María le pareció rebosante de burla.

—Bienvenida eres —contestó María tratando de ocultar su turbación—. ¿Dices que fray Agustín te ha rogado?

—Si —rió Josefa—. Cree que eres la puerta para escapar al pecado.

—¿Tú qué dices?

—A fray Agustín he dicho que estoy dispuesta a cambiar mi alma por su cuerpo —continuó risueña Josefa, mientras acompañaba sus palabras con gestos obscenos.

—¿Y qué me dices a mí; qué te ha movido a aceptar el ruego de fray Agustín? —ironizó a su vez María.

—He aceptado porque es el único que pudiendo, se me ha resistido —susurró Josefa fingiendo contrariedad.

—¿Y por eso has venido?

—No sabes lo delicioso que resulta sentirle turbado cuando tiene que escuchar la confesión de mis escabrosas historias.

—¿Y yo que tengo que ver? —replicó con irritación María.

—Parece que también te inquietas, inocente niña —rió Josefa.

—Dime qué quieres —exigió María.

—Calma —se burló Josefa—. El color de tu rostro y la cadencia de tu respiración te delatan.

—Puedo hacerte sacar a palos.

—Claro que puedes, pero no quieres —rió Josefa. .— Simpatizo contigo porque si quisieras ya lo hubieras hecho. Pero eso no calmará tu turbación de niña inocente. Si fray Agustín y tú parecéis tiernos infantes recién salidos de cuna de oro —continuó burlándose.

—Eres insoportable; vete.

—Si de veras lo quieres —se puso de pie Josefa.

—A menos que quieras decir por qué has venido.

—Bien —rió Josefa mientras volvía a sentarse—. Quiero ir al Río de la Plata.

—Llegas irreverente, insumisa y burlona: ¿crees que te llevaré?

—Imagino que buscas mansas corderas para que se hagan a la mar protegidas por unos honestos lobos de mar.

—Si se tratara de reclutar mujeres de mala fama no habría armada capaz de darles cabida.

—Eh, que todavía no sabes nada de mi fama —río Josefa, fingiendo haber sido herida en su orgullo—. Que aunque supieras, temo que no entenderías exactamente —contraatacó gesticulando como si fuera a besar y acariciar a su interlocutora.

—¡Basta! —exigió María.

—Bien —rió Josefa—. Te propongo un trato: tú no hables de mi mala fama, que de ella pretendo huir, y yo te enseñaré unas cuantas cosas que te hará falta saber —afirmó esta vez con dulzura.

—Empecemos de nuevo —reclamó María—. Me interesas; puedes convenirme. Hablemos con seriedad.

—Los enfermos hablan en serio —afirmó Josefa—. Pero lo intentaré —concedió con una sonrisa.

—De nuevo pregunto —insistió María—, ¿por qué quieres arriesgar e ir al Río de la Plata?

—De nuevo contesto, esta vez en serio. Quiero escapar de la mala fama.

—Puedes cambiar de ciudad.

—No lo tengo fácil sin recursos, sin apellido, sin familia. Lo más que podría conseguir es ser la querida de un clérigo o caballero de mediocre importancia.

—¿Cómo has llegado a ser...?

—¿Una puta? —rió Josefa—. En realidad no he llegado exactamente, pero parece que para espanto de fray Agustín voy por ese camino.

—Explica.

—Me gustan los hombres y en general los llevo a mi lecho por eso.

—¿Y en particular?

—Eres rápida preguntando —observó Josefa. Durante unos instantes se mantuvo callada, mientras su rostro perdía luminosidad. Luego aseguró—: en particular, mi historia es muy vulgar. Mi padre marchó a Indias antes que yo naciera y nunca más se supo de él ni de la fortuna que había ido a buscar. Mi madre vendía adivinanza de la buena suerte en los embarcaderos y con eso mi hermano y yo tuvimos bastante para crecer. Cuando mi hermano fue bastante fuerte empezó a viajar a Portugal y con el contrabando vivimos con más holgura. Nada faltó a mi madre el último año de su vida y no hubo que escatimar en su funeral. Tampoco reparó mi hermano en gastos para que tuviera yo todo lo necesario y aún más. Un día pasó el mes en que debía venir y no lo hizo. El siguiente supe que estaba en la cárcel luego de haber hecho dos muertes en la partida que lo prendió. Sin recursos ni familia, lo que me quedaba para empeñar era a mi misma y con esto —señaló con orgullo el propio cuerpo— conseguí comprar la complicidad de cuantos fueron necesarios para fraguar una fuga. Gracias a mí —dijo con alegría— eludió la ejecución que le aguardaba y ahora y para siempre su hogar está junto a otros bandidos en la sierra. Es tiempo —concluyó Josefa— que me ocupe de mis propios asuntos y, para empezar, necesito sepultar en la mar la mala fama. Honrada esposa de caballero en las Indias seré —canturreó la joven con alegría.

—Te pondré a prueba —afirmó María.

—¿Cómo?

—Servirás en esta casa. Me gustas y me convienes, pero no me fío. Temo que causes más alboroto que la ayuda que me puedes prestar.

—¿Quién te ha dicho que aceptaré?

—Aceptarás porque quieres ir —afirmó María, agregando—. Aunque ignoro si podrás soportar estar al servicio de alguien.

—Acepto por ahora —aseguró Josefa sin dejar de sonreír—. Espero que no seas un ama despiadada.

—Bienvenida —se alegró María—. Vete ahora con discreción y regresa mañana vestida de modo adecuado para tu propósito de cambiar de vida.

—No resultará. Siempre habrá en tu casa quien sepa de mí y mi historia lleve a las Indias.

—Resultará. Al final dejaré en tierra a las mujeres mal entretenidas en llevar y traer historias.

—Dios te ayude —sonrió mientras juntaba sus manos como si se dispusiera a una plegaria.

María se puso de pie, tomó con suavidad del brazo a Josefa y la condujo a la puerta de la sala. La despidió diciendo: —mañana al alba te espero.

—Espera —bromeó Josefa reutilizando la última de las palabras de María mientras señalaba con la mirada a los dos hombres que acababan de entrar—. ¡Qué viejo más falto de sal; qué joven más apetitoso! —susurró al oído de María.

—¿Quiénes son? —preguntó.

—El que has llamado viejo es el capitán Salazar —informó María—. Al otro no lo he visto antes; debe ser de los hombres que recluta.

—Dios te escuche y que sean todos como ése, que el viaje será largo y la diversión siempre bienvenida. Fíjate en ese cuerpo; imagínalo sin ropa... piensa que lo sujetas por su rubia barba y te lo llevas a tu rincón ...

María la miró como para fulminarla, mientras Josefa terminaba de describir con gestos lo que se proponía con el recién llegado. Al cabo, observó con más atención al vigoroso marino, miró a su interlocutora, rió, le dio una palmada en la espalda y la despidió diciendo:

—Vuelve mañana; me serás útil.

Sin moverse de su sitio, con los brazos cruzados, María acompañó con la mirada a Josefa. La vio pasar frente a los recién llegados sin llamar la atención del capitán Salazar y encendiendo el rostro del barbado. "Me será útil", volvió a decir para sí cuando la vio cruzar el umbral. Luego, sabiendo que la penumbra le permitía observar sin ser vista, se dedicó a estudiar al marino.

"¿Qué es?", murmuró, "lo que hace que me parezca un dulce", bromeó consigo misma María. "Es alto, flexible, seguro, pero no, no es eso. ¿Dónde quiero llegar?", se interrogó mientras sus ojos intentaban abrir un poco más la camisa del joven para descender sobre su pecho. "Sí, claro", murmuró y se sorprendió por la propia falta de vergüenza. "Veo a donde quiero llegar", sonrió mientras su mirada proseguía el curso descendente. Tan absorta estaba que se estremeció como sorprendida en falta, cuando por la voz de una criada de su madre, se le pidió que atendiera al capitán Salazar.

María rió como quien pretende encubrir que ha sido descubierta y replicó con un gesto que lo haría. Sonrió para sí, saludando la oportunidad que se le brindaba y se irritó consigo misma por ello. Se preocupó por la indisposición de Mencía y ordenó a la criada:

—Dile a mi madre que apenas termine iré a ver qué le pasa. Ah, esper, antes di a esos caballeros que pasen a la sala.

María los recibió tras la voluminosa mesa y les invitó a tomar asiento.

—Bienvenidos —les recibió y agregó—. Bienvenida que les doy en nombre de mi madre que se encuentra indispuesta. A vuestras órdenes estoy —aseguró.

Desvió un instante la mirada y reparó en la lanza que su padre siempre tenía al alcance de la diestra cuando atendía tras esa misma mesa.

—No —sonrió para sí—, esas no son mis armas.

—¿Cómo? —preguntó Salazar.

—A vuestras órdenes estoy —repitió María tratando de agregar a la calidez de su sonrisa un tinte de sumisión.

Salazar agradeció ceremoniosamente y contestó:

—Todo el objeto de la visita era informar a doña Mencía de la marcha de los preparativos. También quería continuar cumpliendo con lo que la costumbre manda y que cada nuevo hombre de la expedición le presente sus respetos —agregó mirando al joven que lo acompañaba.

—Es evidente, señor capitán, que soy demasiado joven e inexperta para lo uno o lo otro —ironizó, aunque usando un tono de voz muy dulce.

—No os preocupéis —respondió Salazar, sin percibir la burla—. No os preocupéis, que no faltará oportunidad. Presentad mis respetos a doña Mencía y decidle que ya volveremos cuando se haya repuesto.

El capitán se puso en pie y el apolíneo marino lo imitó. Ambos hicieron una leve reverencia pero antes que dieran media vuelta María se adelantó:

—Capitán; perdonará Vuestra Merced mi atrevimiento pero temo a los malos augurios y no quiero despedirme de vuestro subordinado sin que me haya sido presentado.

—El arcabucero Hans Staden, de los reinos de Alemania, que ya ha estado en las Indias, que habla mal el castellano, que lo entiende bien y que maneja magníficamente las armas —accedió de mala gana Salazar.

María reprimió una sonrisa y saludó con una ligera inclinación de cabeza, que el otro correspondió con igual gesto. Al momento Salazar volvió a reclamar:

—Respetos a doña Mencía —y sin más, giró sobre sus talones y emprendió el camino hacia la salida.

Hans Staden le siguió pero a mitad de camino volvió la cabeza y le dirigió una sonrisa.

Semanas después, bajo el calor de la segunda jornada del verano del año 1549, a la hora en que madre e hijas compartían el almuerzo, llegó el capitán Salazar. Venía ataviado como si fuera día de guardar y traía los documentos que por poder y en nombre de los Sanabria había firmado. María encontró que algo parecido a una sonrisa iluminaba su semblante mientras articulaba disculpas por lo inapropiado de la hora. Anunció sin esperar respuesta y dirigiéndose solo a doña Mencía:

—Desde ahora la nave que nos llevará al Río de la Plata es vuestra.

—¡Al fin! —exclamaron al unísono Mencía, María y Mencita, aunque en la entonación de cada una tembló distinto miedo y esperanza.

Con toda cortesía, Salazar se refirió al mucho trabajo que le aguardaba e hizo ademán de marcharse. Mencía autorizó con tenue inclinación de cabeza, desvió su mirada hacia los ojos de María e interpretando el ruego que brillaba en sus ojos reclamó:

—Espere, capitán.

—Dígame, señora —contestó Salazar en tono del que está seguro de sí pero desea agradar.

—No dudo de lo inconveniente, pero seguro que Vuestra Merced podrá resolver lo que deseo.

—A vuestras órdenes estoy, señora.

—Mis hijas y yo deseamos visitar la nave.

—¿Ahora; antes que la hayan puesto en condiciones?

—Ahora.

—¿Sabéis cómo huele? Ha poco que esa nave llegó de largo viaje. Todavía no han terminado con la descarga. Aún conserva muchos de los ranchos que protegían a los hombres en cubierta y que ahora son mugre. La sentina no se ha limpiado. Los mástiles están rajados, las cuerdas deshilachadas y las velas son harapos.

—¿Y eso ha comprado Vuestra Merced?

Salazar sonrió con indulgencia y afirmó como quien explica a un niño de corta edad:

—Cualquier nave que haya atravesado el océano llega, cuando menos, igual que ésta. La dejaremos como nueva. Pero si ahora suben abordo, se desalentarán.

—No lo crea. ¿Puede Vuestra Merced disponer para satisfacer mi deseo? —insistió Mencía.

—Sí, claro —aseguró Salazar y luego de un instante de vacilación agregó—: pero a su vez he de hacerle un pedido. La visita debe hacerse con toda discreción. No conviene a su crédito, al de sus hijas ni al mío que parezca que mujeres se entrometen en mi trabajo. Un capitán que sea el hazmerreír de sus hombres jamás atravesará la mar.

—Ni en el más peregrino sueño he pensado en hacer cosa alguna que no sea reconocer vuestra autoridad —acató Mencía. Con acento que estaba en el territorio indefinido que media entre la dulzura y la sumisión, preguntó—: ¿nos lo permitirá?

—Mañana al alba —replicó Salazar como quien da una orden coincidente con sus deseos—. Mañana, que al amanecer de un domingo habrá menos gente —agregó.

María pasó el día pendiente de las nubes temiendo que un inusual aguacero pudiera frustrar la visita. Impaciente, feliz, segura, trató de emplear el tiempo en poner en orden su cabeza. "La nave está; mi pequeña hueste de mujeres está; solo falta hacerse a la mar", se decía llenando sus pulmones del aire que ya sentía más salino.

A media tarde, como si los grandes acontecimientos pactaran para presentarse a la vez, María recibió mensaje de Cabeza de Vaca pidiendo que acudiera a verle con urgencia. Consideró el mejor momento y no encontró nada que hiciera preferible dilatar el encuentro. Vistió con toda sobriedad y se encomendó a la buena suerte para que no la reconocieran entrando a casa del ex gobernador.

"En cualquier caso no parece que a esta altura pueda causar grandes problemas. Siempre podrá pasar por gesto irresponsable de una joven impetuosa que quiere saber sobre su sitio de destino".

Con esas consideraciones envió delante a su criada por si la puerta no estuviera abierta, y cuando todavía no habían dado las seis estuvo frente a frente con Cabeza de Vaca.

—Me has mandado llamar —sonrió, todavía con la agitación del que ha caminado con prisa.

—Bienvenida. Te he pedido que vengas.

—Me alegra venir. Me alegra encontrarte solo. Habiendo otros debo refrenar mi lengua.

—Consigues que mi corazón se ponga en marcha como hace treinta años y que la sonrisa se torne huésped permanente en mi rostro.

—¿Para halagarme me has llamado con urgencia?

—Tranquila, que no articularé propuesta de matrimonio —rió.

—¿Que articularás?

—Una duda. Varias dudas que caben en una.

—¿Alguna que me involucre?

—Depende. Me han citado en la Corte con pretexto de resolver sobre mi causa. No me condenarán porque alentarían a derrocar gobernadores. No fallarán a mi favor porque tendrían que pagar un ejército para reponerme en el mando en el Río de la Plata.

—¿Y entonces?

—No han de querer que esté tan cerca de una expedición que se apresta a ir al Río de la Plata. Antes que acabe el mes debo estar en la Corte.

—¿Qué pasará si demoras en ir?

—Me asegurarán con grillos y me meterán en la cárcel, a menos...

—¿A menos?

—A menos que no me encuentren —sonrió Cabeza de Vaca.

—No estoy entendiendo a dónde quieres llegar.

—Si me escondiera, si desapareciera, si les hiciera creer que he muerto: ¿me llevarías oculto en tu nave al Río de la Plata?

—¿Sabes lo que preguntas?

—¿Te asustan las grandes preguntas? —replicó Cabeza de Vaca sonriendo, pero sin ironía.

—No, no —murmuró María.

Se sentó, se movió en distintos sentidos como buscando una posición cómoda y se sumió en el silencio. Unos instantes después se inclinó hacia adelante, apoyó los codos sobre las rodillas y descansó el mentón sobre la palma de las manos. Cuando su cara quedó muy cerca de la de Cabeza de Vaca alzó la mirada y la clavó en sus ojos.

—Es hora —le recordó el ex gobernador —de contestar.

—Deberás tener paciencia —susurró antes de darse a un monólogo en el que parecía estar hablando para sí misma— . Todos los hombres que he conocido —aseguró — menos fray Agustín que no cuenta, y tú, han mostrado su vileza a la primera ocasión. Si te apoyo, mi sueño de gloria se esfuma; si no lo hago, traiciono mi deseo y la fe de quien ha depositado confianza en mí. Te ayudaré —aseguró María presa de la angustia—. Aunque hacerlo supone que serás tú quien en realidad mande, que serás tú quien protagonice los grandes hechos que en todo este tiempo he soñado hacer yo. Te ayudaré —volvió a asegurar con voz muy tenue mientras intentaba en vano ahogar un sollozo.

Cabeza de Vaca aguardó de pie, inmóvil, a un paso de la joven. Antes que las lágrimas se secaran en el rostro de María, rozó con el índice su mejilla. Dobló el dedo, lo colocó bajo su mentón y con mucha suavidad hizo ligera presión para reclamarle que alzara la mirada hasta la suya. Sonrió largamente y luego agradeció:

—Tus palabras han estado entre lo más bello que me ha sucedido en años pero —su sonrisa se situó a mitad de camino entre la dulzura y la ironía— que te haya preguntado si me esconderías no quiere decir que pretenda ocultarme.

—¿Y entonces? —inquirió María mientras en sus ojos asomaba la cólera de quien cree que está siendo objeto de una burla.

—Calma —reclamó Cabeza de Vaca levantando las manos como si se estuviera rindiendo, y aseguró—: No iré en tu expedición; apenas quería conocer tu respuesta. No cometeré la locura de arruinar tu empresa ni la de malograr mis escasas posibilidades. Iré a la Corte. Acudiré porque alguna posibilidad tengo de ganar y porque mis probabilidades en el Plata como fugitivo son inexistentes. Si me escapara contigo tendría que organizarme para una guerra civil entre los españoles de allí. Suponiendo que venciera, imaginando que los indios no aprovecharan para matarnos a todos, aún así sería declarado traidor y excomulgado. Mi única posibilidad —ironizó— sería convertirme en rey de un país independiente y llamar a los amigos de Lutero o Calvino para que suplanten los sacerdotes. ¿Te imaginas? ¿Acaso me ves como rey del Río de la Plata? —agregó burlón.

La mirada de María resplandeció. Se arrojó en brazos de Cabeza de Vaca, susurrando su agradecimiento una y otra vez.

—No tan de prisa, por mucho que te alegre que no vaya contigo —rió el prisionero—. Algunas cosas harás por mí; yo también haré algunas por tí. Antes de irme a defender mis derechos en la Corte, te dejaré cartas para los míos en el Plata. Te indicaré a quién y en cuanto quiero que los ayudes. También te dejaré anotado de quién y hasta qué punto te puedes fiar. Ahora —agregó con suavidad— querida María de Sanabria, es la hora de la despedida. Sabes —murmuró como avergonzado— si yo fuera más joven no nos estaríamos diciendo adiós, porque no habría dificultad con la que yo no estuviera dispuesto a combatir. Pero ya ves, al navío desarbolado todos los vientos le son contrarios —sonrió con resignación mientras señalaba con la mirada el propio cuerpo.

María volvió a abrazarlo y fue a contestar, pero el ex gobernador pidió:

—Guardemos este instante; no prometas lo que no podrás mantener; no pronuncies palabras vanas de consuelo. Guardemos este instante.

La joven que se aprestaba a embarcar y el náufrago que había resuelto quedar en tierra para acudir a defender sus intereses en la Corte permanecieron abrazados, como si en cada uno latiera el corazón del otro. Al tiempo que se separaron recuperaron la sonrisa, y con ella y cálida mirada se desearon lo mejor y se despidieron para siempre.

V

–Os desanimaréis —insistió el capitán Salazar apenas llegó a casa de los Sanabria. Lo repitió una y otra vez durante el breve camino por las callejuelas de la ciudad y por el arenal hasta la orilla del río. Lo reiteró antes de subir al bote que debía acercarlos a la nave y mientras avanzaban lentamente, en su boca se instaló la mueca de quien se contiene esperando el momento adecuado para señalar—: lo advertí.

Los remos empujaron por un laberinto de embarcaciones hasta que el capitán señaló con el dedo índice:

—Ahí está.

Mencía clavó la vista en el casco ennegrecido y se persignó. Mencita abrió los ojos como si hubiera visto el infierno bajo los maderos medio podridos. María se puso de pie y permaneció absorta contemplando todos los detalles. Los remeros giraron con suavidad el bote y lo detuvieron a un palmo de la escala de cuerda.

—¿Seguro que queréis subir? —inquirió Salazar con la sonrisa condescendiente de quien se sabe triunfador. Mencía contempló la escala evaluando sus posibilidades de asirse a ella y llegar arriba sin perder el equilibrio. Se mordió los labios, se levantó un palmo del asiento y volvió a sentarse con ademán dubitativo.

—Yo sí —sonrió María.

Sin vacilar alcanzó en dos pasos la escala, se sujetó y llegó sin dificultad hasta cubierta.

—Madre; hermana: ¡arriba! —reclamó tendiéndoles la mano—¡Es magníficamente sólido! ¡Vamos! —rió persuasiva.

Al fin, con movimiento que más tenía de tímido que de torpe, se decidieron. María les tendió la mano y las abrazó en cubierta como si las reencontrara tras larga separación. Ahí las dejó mientras se entregaba a una exhaustiva inspección de todos los rincones. Con la imaginación terminó de vaciarla de carga, sustituyó la madera podrida, hizo una limpieza a fondo y aventó el hedor. Ante sus ojos apareció la nave reluciente que la llevaría a través del océano. Ordenó en la bodega las provisiones, la mercancía y asignó sitio a la propia gente. Volvió a cubierta, fue a popa y desde allí hasta proa contó veintiocho pasos largos. Anduvo también de babor a estribor para medir el ancho y repitió igual procedimiento en cuanto espacio se podía caminar.

—El problema será el espacio —afirmó para sí como quien asegura que el resto está perfectamente bien. Hizo cuentas ayudándose con los dedos y se tomó tiempo para verificarlas. Perpleja, se acercó al capitán y con amabilidad le preguntó—: ¿quiere Vuestra Merced decir que esta nave es capaz de llevar ciento cuarenta personas y la carga?

Salazar la miró con indulgencia y aseguró:

—Joven señora; esa y bastante más si fuera necesario. Setenta hombres son necesarios como mínimo para manejarla.

—He contado y no podrían acostarse todos al mismo tiempo.

—En una nave nunca se acuestan todos al mismo tiempo —replicó Salazar con desinterés.

María fue a preguntarle si mantenía los dientes apretados para reprimir un bostezo, una mueca de burla o porque le dolía la barriga pero contuvo su irritación.

—¿Puede Vuestra Merced indicarme cual es a su juicio el mejor lugar para que viajen las mujeres?

—Molestarán menos la maniobra si permanecen ahí —señaló Salazar el espacio que había entre el palo mayor y popa.

—¿A la intemperie?

Salazar sonrió con desgano, miró en dirección al trabajo de carpintería que se estaba haciendo sobre ambas bandas e indicó: —sobre estas protecciones se apoya un toldo de madera, bajo el que podrán estar a resguardo. Cuando se hayan terminado las reparaciones habrá en popa una cámara superior y otra inferior. No serán tan altas como para permanecer de pie en ellas pero abrigarán a todas las damas. Deberá considerar que aproximadamente encima de vuestras cabezas, andará la marinería atendiendo la maniobra y el timonel cuidando el rumbo. Abajo de vuestros pies habrá cañones que Dios quiera no tengamos que disparar.

—¿Y en cubierta podrá reservar un sitio para las mujeres?

—¿Acaso creéis que se trata de un viaje de recreo?

—¿Pero y el aseo? ¿Y dónde haremos nuestras necesidades? —se obligó a preguntar María.

—Estoy haciendo más allá de la baranda de popa una rejilla de madera que da sobre la mar. Ahí tendréis lugar distinto que los hombres.

—¿Pero y las miradas?

—Esto es una nave, señora —replicó Salazar con la actitud de quien expresa el descontento por la carga que le ha tocado transportar.

María se contuvo y reanudó la marcha sin responder. Reconoció uno a uno los recovecos de la embarcación y cuando estuvo segura de haberlo visto todo propuso a

Mencía y a Mencita que permanecían inmóviles en cubierta:

—¿Vamos?

Las dos asintieron como seres privados de voluntad propia. María descendió primero y mientras lo hacía volvió velozmente la cabeza hacia el bote. Alcanzó a sorprender el movimiento de huida de los ojos de los remeros, que habían estado al acecho para contemplarle las piernas. "Cerdos, hipócritas sumisos", los insultó y escupió en su pensamiento, pero no dijo nada.

"Los cerdos", murmuró con rabia mientras ayudaba a bajar a su madre. "Los cerdos", volvió a pensar en el camino de regreso a casa. "El espacio y los cerdos", repitió una y otra vez, hasta que concluyó: "lo del espacio no lo arreglaré; habrá que pasar meses más amontonados de lo que cabe imaginar. Lo del espacio, lo del espacio será siempre un problema. Lo de los cerdos... habrá que conseguir que todas las mujeres viajen en esta nave; que todos los hombres que no sean imprescindibles vayan en las otras. Y...", sonrió preguntándose, "¿qué hombres son indispensables?". Contestó para sí: "al menos seremos tantas mujeres como hombres. ¡Ya veremos quien puede más!", murmuró desafiante.

Al regreso, María permaneció solo dedicada a las combinaciones de su pensamiento. Con la mirada puesta en sortear innumerables problemas previos al embarque, no percibió que la visita a la nave había hecho sobre el ánimo de Mencía y Mencita, el mismo efecto que la contemplación del patíbulo suele provocar en el carácter de un condenado.

—¡Madre! —reprochó María—. ¡Cansada estoy de ocuparme de todo; bien podrías ayudar al menos poniendo mejor cara!

Mencía intentó en vano responder con una sonrisa.

—No lo conseguiremos —murmuró llena de cansancio—. Y si lo logramos: ¿para qué?

—¿Te parece tiempo de preguntarlo? —se irritó María.

—Las preguntas vienen y permanecen, aunque yo procure alejarlas.

—Sobre todo si dejas que el trabajo lo hagan otros y te queda mucho tiempo libre. ¡Hasta más tarde, que tengo demasiado que hacer!

María giró sobre sus talones y dio un paso para continuar su actividad. Sintió la presión de la mano de Mencía cerrándose en torno a su brazo, volvió a girar, le arrojó cólera con la mirada y recibió furia.

—¡Así está mejor! Al menos demuestras que tienes sangre.

—¿Has pensado no en que me arriesgas a mí, que eso no importa, sino en que arrastras a tu hermana?

—Debe ser mucho mejor que sea arrastrada por el marido que te ocuparás de conseguirle —ironizó María sujetando su cabello y tirando como si la llevaran a la fuerza.

—¡Hija!

—¿Buscarás buen marido para Mencita, igual que tu madre hizo por tí?

—Eres, hija mía, más inteligente que yo, pero te faltan ojos para ver el miedo de tu hermana.

—¿Y tú la librarás del miedo?

—Tu fortaleza no te deja ver la debilidad de los demás.

—Tu bondad no te permite ver la cobardía que se esconde bajo la debilidad.

—No la obligaré a ir.

—Mejor sería que no viniera. Será un estorbo.

—¡Hija!

—Si además dices que estará mejor aquí con el marido que le busques: ¡adelante; mejor para todos!

María se volvió y se alejó de Mencía sin dar lugar a réplica. Se metió en su habitación y cerró estruendosamente la puerta. Los días siguientes redujo el mínimo su contacto con madre y hermana en la actitud de quien está extraordinariamente ocupado.

—Al cabo —se dolía— estoy completamente sola y nada funcionará si yo no acciono los resortes. Sonrió amargamente pensando—: bajo las órdenes de un capitán que parece un muerto en vida; con una madre demasiado buena; con una hermana dulce e inútil; con pocos criados de los que fiarme. Pero bueno —enumeraba para no desfallecer— fray Agustín no es mala pieza y algunas de las mujeres tampoco. Con otras como la triple jota —sonrió con la ocurrencia y se entusiasmó— de Juana, Justa y Josefa, tal vez lo consiga.

Procuró que su madre se resolviera a ir a Medellín para poner en venta la hacienda que le pertenecía en su Extremadura natal. Mencía dilató una y otra vez la partida hasta que pidió a su hija que la sustituyera.

—No es el viaje lo que me acobarda —advirtió a María— sino enfrentar a tu abuela. Trátala con tacto —le pidió luego de dotarla del más amplio poder—. Espero que te sirva —suspiró— porque por mucho poder que una mujer confiera a otra, cualquiera que quiera entorpecer tu labor lo conseguirá. ¡Buena suerte! —le deseó al despedirla.

María se asomó para saludar con la mano alzada mientras el coche ponía en marcha. Vio la sonrisa de su madre y de su hermana y por detrás las lágrimas que resbalaban por el rostro de Marta. Cuando la casa se perdió de vista reparó en que llevaba por compañía a Justa y Josefa sin haber dado siquiera una explicación a la que era su fiel criada y se prometió enmendarlo al regreso. El mismo cochero mudo que había llevado a Juana para esconderla hasta el momento de zarpar, las condujo con rapidez y felicidad hasta la distante Medellín. El contento que la abuela había mostrado al recibir la inesperada visita de María se tornó estupor cuando conoció el motivo. Pidió ver el poder que permitía a la joven vender y lo entregó al clérigo que asistía su casa para que lo leyera. Cuando concluyó, lo arrebató de manos del religioso, lo rasgó y lo tiró al fuego sin decir palabra.

María quedó con la boca abierta y obedeció cuando su abuela la mandó a dormir. Al amanecer ya había redactado varios anuncios exhortando a ir a Sevilla a quienes quisieran comprar a buen precio las propiedades de doña Mencía. Luego de la oración de la mañana aseguró a su abuela que traía orden para que Juana regresara con ella. Se despidió con fingida sumisión pero una vez en el carruaje dispuso pasar por los sitios más concurridos de la localidad y fijó los anuncios de venta que había escrito la noche anterior. Luego preguntó al cochero si carruaje y caballos estaban en condiciones de galopar la considerable distancia que los separaba de Mérida.

Satisfecha con la respuesta afirmativa, explicó el motivo de la prisa a Juana, Justa y Josefa.

—¡Cuando la vieja avara se entere de los anuncios ya no nos alcanzará! —celebró Juana con una carcajada.

—¿Cuánto tardará en saberlo? —rió María. Respondió al desconcierto que había en los rostros de Justa y Josefa diciendo—: amigas mías; acabo de hacer una mala jugada contra mi amable abuela. La risa de Juana certifica que no debió estar en el mejor de los mundos mientras estuvo a su servicio. Pero —su semblante se contrajo y su tono se volvió un poco más serio— debo presentaros. Solo diré que las tres son mi mayor esperanza para el viaje a las Indias. Y que preciso que nadie sepa en Sevilla, ni siquiera en nuestra casa, que Juana ha venido con nosotras.

—¿Y eso cómo lo harás? —preguntó Josefa.

—No se —murmuró María. Tenemos que encontrar el modo antes de llegar.

—Si no nos explicas cuál es el problema, es difícil que podamos ayudar a su solución.

María interrogó con la mirada a Juana y quedó a la espera de una autorización que no fue pronunciada. Un rato más tarde la que recién se había incorporado al grupo volvió a contar el uso que había hecho de los puñales. A Justa se le escapó:

—¡Miserable! —mientras escuchaba el fin de la historia. Tomó una mano de Juana y prometió—. ¡Estaremos más seguras juntas! —mientras cierta timidez le hacía soltar la mano que había estrechado.

—Todos los defectos juntos de los hombres que he conocido, que no han sido pocos, no hacen ni la mitad de la mitad de los de un miserable como ese —movió Josefa la cabeza en actitud de quien sabe que una cosa ha ocurrido y al mismo tiempo considera imposible que hechos así acontezcan

—¡Bienvenida! —se entusiasmó, pidió permiso mirando a María y contó para la recién llegada y para Justa lo que la movía a viajar al Río de la Plata. Justa asistió inmóvil al relato de Josefa y cuando terminó sumó su "¡bienvenida!" al que pronunciaron María y Juana. Agregó—: Asco tengo yo de los hombres

A continuación hizo partícipe a las demás de los propios motivos.

"¡Miserables!", murmuró esta vez Juana y brevemente la tomó de la mano.

—¡Y yo creí que en cuanto a miserables lo había visto todo! —volvió a negar Josefa moviendo la cabeza de un lado a otro.

—Señoras —sonrió María—, esto de saber todo acerca de cada una está muy bien, pero hemos de decidir el modo de mejor ocultar a Juana hasta zarpar. Proponed maneras que yo me ocuparé de buscar los puntos débiles.

Cuando llegaron a Sevilla ya habían resuelto que lo menos arriesgado era decir que habían llegado con una criada de Medellín que venía enferma. Que mientras Juana estuviera en casa de los Sanabria, saliera lo menos posible de la habitación que iba a compartir con Justa y con Josefa. Que hablara apenas lo imprescindible para que su acento sevillano no la delatara. Que no bien se arrendara una casa en la desembocadura del Guadalquivir para preparar las cosas necesarias de la armada, las tres se trasladaran a servir en ella.

Apenas puso pie en Sevilla, María volvió a chocar con la realidad que amenazaba desbaratar sus planes.

—Mi madre no tiene fe en el éxito de la empresa y yo no consigo trasmitirle la seguridad necesaria. A medida que el tiempo diluye el recuerdo de su marido se siente con menos necesidad de huir a las Indias. En síntesis —se decía —mi éxito o fracaso depende de conseguir infundir confianza a todos y especialmente a mi madre.

Se prometió obrar con firmeza y amabilidad. "Si consigo",se decía, "evitar que asome en mí la contrariedad, lo lograré. Y si no soy capaz de hacerlo antes de soltar amarras... no llegaré a ninguna parte".

Jornada tras jornada, María trabajó para poner en ejecución lo que se había propuesto, como quien ha hecho voto de paciencia.

"No puedo ocultarme", temía, "que por mucho que haga, no consigo el entusiasmo de mi madre. Sé", y la idea le paralizaba, "que está al borde de retroceder, pero: ¿qué hacer?".

Sin encontrar solución se esforzó más aún, diciéndose que la mejor manera de demostrar ante sí y ante los demás la propia capacidad, era seguir adelante con todas las posibilidades en contra. Podía leer el creciente desánimo en los ojos de Mencía y temía escucharlo de sus labios. Vaticinando que tarde o temprano tal cosa se produciría, empezó a buscar alternativas que no frustraran el propio viaje.

"Imposible", se decía al considerar con sensatez la situación. "Impracticable, porque la expedición cuesta la fortuna familiar. Si mi madre no va y no renuncia a financiar la armada, en los barcos se va la dote. Sin dote ni podrá volver a casarse ni conseguirá marido para Mencita, ni en ningún convento decente las aceptarán. Sin dote es imposible y cualquier incapaz lo sabe", murmuraba María para sí. "En el Río de la Plata no importa porque la mercancía embarcada aquí vale allí infinito más. Además en las Indias somos el gobierno y yo", sonrió con ironía, "daré a quien se case conmigo la vara de alguacil".

Sin previo aviso, el último día de setiembre llegó de Medellín la abuela de María, que se instaló en la casa sevillana de los Sanabria como si la hubiera tomado por asalto. Cual jefe de un ejército de ocupación dio ordenes a la servidumbre, desautorizó a su hija y exigió silencio a sus nietas.

—Nada hay que discutir —empezó afirmando cuando estuvo reunida con Mencía y sus hijas—. Muerto tu marido, la dote que te llevaste para casarte con él, te valdrá para otro matrimonio o para ingresar en un convento. El honor de una familia no puede ponerse en juego con la liviandad que parece norma de esta casa. Ja: ¿acaso crees que vas a gastar mi caudal en armar unas ridículas carabelas? ¡No, no, no! —afirmó negando con la cabeza—. De ningún modo gastarás lo mío ni arrastrarás por el fango el nombre de la familia. ¿Que te inclines al deseo de una chiquilla irresponsable? —volvió a negar con la cabeza—. ¡Falta le haría a esa niña que yo hubiera estado más cerca para cuidar de su educación!

Mencía se mantenía sin alzar la vista. María observó con disimulo la rigidez y el temor de su hermana; el abatimiento y la vergüenza de su madre. Pensó saltar contra su abuela y arrastrarla del pelo. Estuvo al borde de interrumpir pero no se sintió capaz de articular palabra sin que la rabia la ahogara. Entonces, con el gesto de quien no desea obstaculizar la conversación, pero con la seguridad de quien conoce la importancia de lo que está haciendo, se levantó, dio dos pasos y se situó tras la silla que ocupaba Mencía. Enseguida pasó ambos brazos hacia adelante, juntó las manos, entrelazó los dedos y con suavidad se mantuvo unida a ella. Como protegida tras su madre, arrojó contra su abuela la misma sonrisa que había usado en Medellín para fingir que le obedecía. La aludida procuró fulminarla con la mirada y María contestó haciendo ademán de escribir a grandes trazos un cartel de venta como los que había distribuido antes de regresar de Extremadura. La abuela se enfureció y exigió a su nieta que se retirara, que iba a hablar a solas con su hija. En lugar de obedecer, María volvió a entrelazar sus manos en torno a Mencía. Fuera de sí, la abuela rugió:

—¡Dile a la mal educada de tu hija que vuele de aquí!

Como un fogonazo los colores volvieron al rostro de Mencía pero no contestó. Alzó sus manos, las puso sobre las de su hija, las acarició y luego las sujetó con firmeza.

—¿No has oído? —volvió a bramar, e incapaz ya de soportar el persistente silencio de su hija y la burla contenida en la implacable sonrisa de su nieta se puso de pie.

Avanzó con la intención de golpear pero se desvió hacia la salida, cerrando tras sí con un tremendo portazo. Sin más, cual ejército de ocupación incapaz de soportar las bajas causadas por la resistencia de un enemigo que ataca y se oculta, se marchó al día siguiente sin despedirse aunque sabía que lo hacía para siempre. Mencía tampoco dijo nada, pero la sonrisa que tornó a frecuentar su rostro y la energía de sus movimientos evidenciaron que había recobrado la decisión.

Se puso a disposición de su hija para trabajar en la preparación de la armada. Los pequeños éxitos que coronaron su actividad alimentaron una incipiente seguridad en sí misma. Empezó a tomar iniciativas y se ocupó personalmente del arrendamiento de una casa en Sanlúcar de Barrameda, imprescindible para almacenar en la desembocadura del Guadalquivir lo principal de la carga. Vendió sus propiedades sin que le causara nostalgia desprenderse de lo que nunca había disfrutado. Adquirió mercancías baratas en España que, como los anzuelos de metal, eran extraordinariamente valiosos para negociar con los indios. Su cercanía imprimió cierto ritmo a la tarea de hormigas de los hombres que iban y venían transportando y acomodando media carga bajo cubierta. A la llegada del invierno, la nave parecía haber ganado en estatura y recuperado la dignidad.

El veintitrés de diciembre Juana fue enviada a Sanlúcar. Fray Agustín dejó preparado cuanto pudo para la celebración de Navidad y preguntó a María:

—¿Puedo pedir permiso a tu madre para pasar estos días con la mía?

—¿Ahora cuando está todo por hacer?

—Siempre está todo por hacer —sonrió el religioso—. Pero si dejo por hacer esa visita ya no la haré.

—¡Qué falta de esperanza!

—Sentido de la realidad.

—Así llamas a tus temores.

Fray Agustín la miró con curiosidad mientras pensaba en la respuesta.

—No —sonrió— no se trata de temores. Se trata de despedidas. Mi madre no irá a Indias y yo no volveré.

—Eres joven: ¿quien te impedirá volver?

—Supongamos que sobrevivo a la mar. Imaginemos que no me matan las fiebres que sin duda nos atacarán durante la travesía. Aceptemos que los infieles moros no capturan nuestra nave y nos venden como esclavos. Presumamos que aunque haya paz con los franceses los corsarios discípulos de Lutero o Calvino no nos abordan y no me decapitan junto a cuanto ministro de la Santa Iglesia Romana puedan encontrar. Conjeturemos que sobrevivo al puñal de los traidores que depusieron a Cabeza de Vaca. Creamos que la flecha de los indios no me alcanzará y que tampoco acabaré en una de sus barbacoas. Si Dios así lo quiere será porque desea que lleve su palabra a los infieles y allí estaré hasta que quiera llamarme a su lado.

—¡Qué discurso! —aplaudió María.

—No te burles.

—No me burlo, pero me parece que hablas demasiado de los riesgos.

—Querida amiga: hablo de peligros a los que tú temes y yo no. Tu armada puede ser desbaratada por esos enemigos. Los riesgos que menté pueden arruinar tu propósito, pero no el mío. Mi objetivo solo está amenazado por mis dudas, mi vacilación, mi debilidad en cumplir con la esperanza que Él ha depositado en mí —y bajando el tono de voz como avergonzado agregó— sobre todo está amenazado por la debilidad de mi carne.

—Me has impresionado —sonrió María sin ironía.

—¿Dejarás que pida a tu madre para pasar estos días con la mía?

—Me harás falta, pero ante semejante poder de persuasión: ¿quien podría negarse?

—Gracias —sonrió el religioso y se marchó sin más.

Con la única pausa del debido respeto a los días santos continuaron las tareas de estiba. A fin de año estuvo a bordo lo que podía cargarse en Sevilla sin que fuera peso que impidiera salvar los bajos de arena, durante las casi veinte leguas que había que hacer por el río hasta su desembocadura en el océano.

El último martes del mes de enero de 1550 la catedral de Sevilla recibió en sitio de privilegio a cuantos se aprestaban a tomar parte en la expedición. Tras la primera misa de la mañana, todos fueron en procesión llevando una bendecida imagen de Nuestra Señora de las Mercedes hasta el embarcadero. Los pocos que debían conducir la nave río abajo y los muchos que se juntarían con ellos en Sanlúcar de Barrameda se despidieron como quienes dejaban una fiesta y prometían encontrarse en la siguiente. Poco rato, escasas, precisas maniobras y una sola vela fueron suficientes para que la embarcación empezara su viaje. La multitud de curiosos arrojó su rumor sobre el navío que empezó a desplazarse hacia la desembocadura del río. Tras la estela, como queriendo alcanzar a los que se alejaban, hubo risotadas pronosticando infiernos y bendiciones lanzadas como besos al aire; llantos de madre presintiendo lo peor y aclamaciones a los héroes que volverían repartiendo oro. Mientras la multitud se disolvía, María se puso frente a los suyos y reclamó:

—¡A lo nuestro, que hay mucho que hacer!

Era imperioso mejorar el aspecto de la casa y de sus muebles. Hacía falta terminar de vender cuanto se podía y convertirlo en mercancía pequeña para transportar y valiosa para vender a los españoles del Río de la Plata o trocar con los indios. Era indispensable dejar la casa libre para asegurar con su renta la comodidad de don Diego de Sanabria.

Hasta el último día de febrero del año 1550, la actividad fue febril. Al amanecer de ese día salieron al alcance de la nave las últimas barcazas que llevaba carga y gente para la armada. En escasos días faltos de incidentes llegaron a la boca del Guadalquivir. Allí les aguardaban los criados que se habían adelantado y la tripulación que había conducido el navío desde Sevilla. Unos y otros trabajaban en poner en condiciones las dos carabelas de menor tamaño que también formarían parte de la armada. Treinta fueron los días que se ocuparon en completar la carga. La línea de flotación se hundió bajo el peso de lo necesario para alimentar al menos durante noventa días a más de un centenar de viajeros. Se estibaron ciento sesenta sacos de bizcocho, cincuenta pipas de media tonelada de vino, veinte botijos de aceite, doce botijos de vinagre, noventa pipas de media tonelada de agua, carne y pescado salado que en total hacían diez toneladas, dos toneladas de habas y tres de garbanzos, así como sesenta de leña.

También compitieron por el lugar en la bodega diez toneladas de hierro en planchuelas y diez en clavazón, cien grandes fardos de tela y cincuenta cajones de telas finas, cera, jabón, objetos de vidrio, libros y armas que debían alcanzar altísimo precio en el aislado Río de la Plata.

Al final embarcaron muchos cerdos y multitud de gallinas que debían gozar de una última libertad a bordo antes de ser gradualmente sacrificados, para que hubiere siempre algún alimento fresco.

Cuando ya no había tiempo para que lo gastaran en los burdeles ni espacio para que desertaran, se adelantó seis meses de paga a la marinería. Los dueños de mesones y posadas se abalanzaron sobre ellos para cobrar lo que habían fiado. Lo que sobró pasó rápido a las madres, esposas e hijos pequeños que habían venido a despedir a los suyos y que sin otro auxilio debían aguardar el dudoso regreso de los que se hacían a la mar.

También la playa de Sanlúcar se pobló de quienes venían a separarse para siempre de los suyos. Sobre la indiferente arena cayeron abundantes lágrimas de esperanza y de dolor.

—Ya no te veré más —se escuchaba que aquí y allá se despedían las madres—. Enviaré por ti cuando sea rico —contestaban los hijos.

—¿Qué necesidad tenéis, mi señora, de llevar a mi hija? —escuchó María que le increpaba una voz desalentada. Al volverse se encontró frente a su criada Marta y su madre.

—El mejor futuro la espera —sonrió María y continuó con prisa, poniendo orden en el embarque.

Pronto urgió a Marta que ocupara su lugar en el bote que iba y venía hasta la nave. Como la joven no se movía, debió tomarla del brazo para despegarla de su madre que no cesaba de rogarle que se quedara.

—Toda la buenaventura para ti hija mía —murmuró la madre cuando ya no pudo hacer nada. Con tono aún más bajó agregó—: y maldiciones para tí, María de Sanabria, que te la llevas de mi lado.

María alcanzó a escuchar, se detuvo para contestar, pero hizo un gesto con la mano como el que se hace para espantar un insecto molesto y continuó dando instrucciones. Al alba todo estaba listo y la armada de María de Sanabria desplegó velas a la brisa del amanecer del diez de abril de 1550. Juana y otras doce mujeres que habían sido introducidas de contrabando después de la última inspección de las autoridades, empezaron a vomitar bajo cubierta. Mientras tanto, las cuarenta y nueve que contaban con permiso real veían crecer la distancia que las separaba de su mundo. Los hombres que no estaban ocupados en las maniobras permanecían también como atrapados por la estela que a popa desaparecía borrando el camino de regreso.

María se separó del grupo sorteando con paso ágil los arpones que estaban dispuestos en el extremo del navío y se extasió contemplando el infinito al que apuntaba la proa.

Le pareció que por primera vez en su vida estaba en paz; que todo había salido bien. Sabía que de hecho, era quien mandaba la armada. Esperaba llevar a cabo las hazañas más sonadas del siglo. Confiaba en encontrar riquezas que deslucieran las de Cortés y Pizarro. Aguardaba deslumbrar al mundo mostrando una alianza con el reino de las amazonas. Estaba segura que sería venerada por la justicia y caridad con que llevaría el evangelio a los indios. "He llevado a cabo", murmuraba María para sí, "lo que nunca mujer alguna se hubiera atrevido a soñar. Si lo hubiera hecho sin mantener el secreto, nada excepto burlas habría conseguido y todavía hoy, poco más que eso conseguiría. Ya habrá oportunidad de encabezar la marcha; de mostrarme a mi tiempo y a la posteridad. Pero ahora ahí está el mar que acecha, la travesía que amenaza. Mi triunfo será llegar con la hueste intacta y unida. Debo ser el general que desde la sombra conduce a buen puerto. Si lo consigo estaré a un paso de la victoria. Pero ahora..." murmuró llena de resolución, "a encarar las tareas, que mucho habrá que hacer y aprender en este preámbulo que hay hasta las islas Canarias".

María sacó la vista del horizonte, miró hacia popa donde el grueso de los viajeros continuaban contemplando la playa que se desvanecía. Bajó a la bodega, dio la señal convenida y trece pálidas mujeres salieron de su escondite. Sin que su aparición sorprendiera a nadie, subieron a cubierta, deseosas de aire fresco. No pudieron aventar el mareo y al contrario, pareció que lo contagiaran al resto. No se salvaron quienes navegaban por vez primera ni los que trajinaban desde antiguo la mar. Resignadamente se tumbaron para sobrellevar las arcadas, mientras esperaban que el cuerpo se acostumbrara a ser mecido por las olas. María quiso luchar y continuó con las tareas que se había impuesto. Debilitada, se encorvó, se puso de rodillas, apoyó el estómago sobre un cañón de la banda de estribor y con la cabeza hacia abajo vomitó lo escaso que había comido. Maldijo en silencio, apretó los dientes y puso todo su empeño en incorporarse.

—¿Puedo ayudaros? —preguntó una voz a sus espaldas con acento tal que María supo que se trataba del rubio arcabucero alemán—. ¿Os ayudo? —insistió mientras se colocaba a sus espaldas y la sujetaba con firmeza de ambos brazos, poco más abajo de los hombros.

María se incorporó, giró, agradeció con un suspiro y dio algunos pasos vacilantes en dirección al aire fresco.

—Esperad —pidió Staden mientras le ofrecía el brazo—. Esperad —vaciló contrayendo ligeramente el brazo, como marcando la debida distancia hacia la propietaria de un noble apellido.

—Gracias —contestó María sin aceptarlo.

—¿Queréis la opinión de un tosco soldado? —pidió el arcabucero.

María ni afirmó ni negó. Apoyó su mano en una viga y se mantuvo como a la espera de las palabras del otro.

—Quien más, quien menos, todos padecemos la mar los primeros días. No quiero que me interpretéis mal, pero a veces oponerse a lo que dice el cuerpo es inútil. Luchar contra el mareo no resulta mejor que dejarse estar hasta acostumbrarse. No lo toméis a mal, pero conviene por igual al más fuerte y al más débil, al valiente y al infame, tumbarse y esperar que pase.

—¿Y si hubiera ahora una tempestad; si nos atacaran corsarios?

—El miedo hace milagros sobre el cuerpo que nadie sabe explicar. Pero con buen tiempo, hasta un ignorante soldado como yo se permite aconsejar a una dama que lo más sabio es tumbarse y esperar —sonrió Staden.

—Gracias —murmuró María y con paso inseguro fue a sujetarse al palo mayor, sacudida por las arcadas. Cuando las fuerzas ya no le dejaban permanecer en pie, bajó y se tumbó junto a su madre y su hermana.

El segundo día roló el viento y empezó a soplar del sur. Arriaron velas temiendo que las naves fueran arrastradas hacia la costa. El tercer día amaneció nublado y con la orilla a la vista. Los esfuerzos que se hicieron para enderezar el rumbo apenas alcanzaron para que no menguara la distancia de los bajíos. A la noche se dejó ver la intimidante luz del puerto portugués de Faro, pero el estado de la mar aconsejó mantener cuanto se pudo la distancia. Bregaron sin descanso los dos días siguientes, luchando contra la orilla que no conseguían dejar a popa. La costa del Algarve se mantuvo tan cerca que a simple vista podían verse individuos que observaban el paso de las naves, deseosos de un naufragio para hacer su agosto antes que llegaran las autoridades.

—¿Me dejáis ver? —pidió María mientras alargaba la mano hacia el catalejo de Staden.

—Claro —sonrió y le alcanzó lo que pedía.

—¿Qué debo ver?

Staden la miró con curiosidad y se encogió de hombros: —lo que queráis —contestó llanamente.

—¿Qué estabais viendo?

—El peligro. Los hombres de pelea siempre estamos observando el peligro.

—¿Dónde está el peligro?

—En todos lados. Hay peligros contra los que no hay defensa. Si tocamos fondo en las rocas de la costa no hay salida. La orilla parece al alcance de la mano, pero rara vez alguien llega. Además, si alcanzáis la arena con la pólvora mojada no faltará quien os mate para robaros. Dios nos ampare de esos peligros para los que estamos desarmados.

—¿Y de los otros?

—Para eso estamos.

—¿Para eso ha venido de lejos?

Staden rió con picardía y aseguró:

—Al lado están los reinos de Alemania cuando se está viajando a Indias. ¡Gracias a Carlos, vuestro y nuestro Emperador, que nos permite disfrutar a los alemanes del banquete de Indias!

—¿Buscando oro?

—Como todos, riqueza y aventura para tener de qué vivir en la vejez y para que no falte qué contar el día que tenga nietos en mi tierra.

—Gracias —interrumpió María la conversación devolviendo el catalejo—. Gracias por el consejo sobre el mareo —volvió a decir antes de alejarse.

Se mantuvo en cubierta donde pajes y grumetes adolescentes, jóvenes marineros, curtidos oficiales, experimentado piloto y canoso capitán trabajaban sin descanso para contrarrestar la fuerza del viento. Los hombres de armas no bajaban la guardia, como si se supieran rodeados. El sol se ocultó tras la mole rocosa del cabo San Vicente. La oscuridad dejó intuir el mar abierto hacia el frente. Las sombras permitieron ver los fuegos de los que en tierra rezaban por un naufragio. La noche mostró a lo lejos las luces de naves que podían ser de moros deseosos de la doble riqueza de los esclavos y la carga. Cuando amaneció seguía ventando del sur. Se repartió ración doble de vino y todos los hombres se empeñaron en la maniobra. A mediodía se levantó triple griterío de júbilo desde la nave y las dos carabelas, porque fue claro que habían conseguido doblar el cabo San Vicente. Con señales el capitán Salazar avisó que era inútil oponerse al viento que continuaba soplando reciamente desde el sur. Así, dispuso que marcharan hacia el norte y anclaran en Lisboa. A favor del viento los más de los hombres pudieron retirarse a descansar, mientras que la frustración se adueñaba de María. Sabía que había aguantado la primera semana de navegación durmiendo tan poco como los tripulantes. Conocía que el peligro la había intimidado menos que a la mayoría de los hombres. No ignoraba que su participación en la fatiga era la de quien tenía energía inagotable, pero su esfuerzo había sido siempre el del espectador.

Trató con desdén a las mujeres que permanecieron acurrucadas bajo cubierta como si de ese modo pudieran evitar zozobrar. Interrumpió con gesto destemplado los lamentos por haber dejado la seguridad de la tierra. Espoleó con la burla a las que temerosas de los zarandeos de la nave no se atrevían a andar sin sujetarse. Cuando la nave ancló al amparo de las aguas calmas del puerto de Lisboa, Mencía y Mencita desembarcaron buscando la comodidad de la tierra. María quedó a bordo con la actitud del perro del hortelano. No atendió ruegos ni rostros demacrados. Amenazó con hacer azotar a quien pidiera ir a tierra.

En dos días la atmósfera se suavizó y anunció viento favorable. Durante la noche todo se dispuso para que la armada pudiera levar anclas a tiempo de aprovechar la primera brisa matinal. La claridad que se insinuaba tras la ciudad apenas permitía distinguir las personas y las cosas a bordo. A María le pareció que faltaba gente entre los que contemplaban la maniobra. Contó como si estuviera pasando revista a su hueste y estuvo segura. Forzó la vista tratando de distinguir en la penumbra. Maldijo para sus adentros porque no era capaz de enumerar las mujeres ni determinar las que faltaban. Un poco más de luz vino en su ayuda y exclamó para sí: "¡Marta; Marta y otras tres! ¡Malditas haraganas!", insultó, tomó una vara y fue a despertarlas.

No las encontró y volvió llena de ira a cubierta. Mientras buscaba a Marta con la mirada, recordó el momento en que Juan de Sanabria había estado al borde de descubrir a su criada. "Veamos", se dijo con más calma pensando en la sirvient, "si también ahora te tiznas para hacerme creer que estabas ahorrando el carbón del amo".

María buscó sin pausa mientras el sol se levantaba con prisa. Después de una segunda recorrida le pareció inútil continuar jugando al escondite y gritó:

—¡Marta!

Fray Agustín respondió:

—Ven.

—¿Qué quieres tú ahora? —preguntó de mal modo María.

—Imaginaba que ibas a demorar más en darte cuenta.

—¿Qué dices?

—Que se ha ido.

—¿Cómo que se ha ido?

—Ella y otras tres.

—¡Qué dices! —amenazó María.

—Miedo a la mar. Miedo a las Indias. Miedo a tu látigo. Deseo de sus madres.

—¡Y tú... y tú lo sabías y no me lo advertiste!

—¿Advertirte qué?

—¡Si quieres seguir burlándote...!

—¿Acaso quieres que sea para ti como era el antiguo confesor para tu padre?

—¡Qué tiene que ver!

—Si hubiere faltado al secreto debido a la confesión de Marta habría dejado de ser siervo de Dios para serlo de María de Sanabria.

—¡Haré que te desembarquen!

—¿Acaso querías llevar a Marta y las otras tres como esclavas?

María no contestó, dio media vuelta y se fue con prisa buscando al capitán. Salazar la escuchó sin mirarla mientras atendía a la maniobra para salir de puerto. Después respondió: —deserciones siempre hay.

—¡Regrese! ¡Qué echen anclas! Ordenaré que las busquen en tierra!

—¿Por desertar? Temo que dos buenos marinos lo han hecho también. La tierra tiene su atractivo.

—¡Por desertar, por robar la paga que les adelanté en Sanlúcar, por traidores, por lo que sea!

—Veré si es posible —murmuró Salazar mientras continuaba atendiendo la maniobra y dando las precisas órdenes para salir mar adentro—. Ah, por favor joven señora —agregó el capitán—, mientras estoy muy ocupado sería conveniente que no se me interrumpa y si es indispensable que solo vuestra señora madre lo haga.

María contuvo los insultos que bullían en su mente. Se alejó y se acodó en la baranda de popa para rumiar planes de venganza mientras insensiblemente la costa se alejaba. No almorzó ni cenó ni quiso protegerse del frío cuando cayó la noche. Antes que amaneciera se acostó y durmió hasta la siguiente puesta de sol. Fue a proa y frente al último rayo de luz juró que no volvería a dar motivo para que las mujeres de su hueste quisieran desertar.

VI

María contempló largamente los puntos luminosos del firmamento. Se preguntó si podía ser cierto que cada una de las incontables estrellas fuera mayor que la Tierra. Sonrió tratando de determinar las razones que las volvían tan bellas y les agradeció que estuvieran ahí para señalarle el camino hacia las Indias.

—Me espera la gloria —se dijo llena de ilusión— pero he de modificar el rumbo. No, no el que vosotras me estáis marcando —murmuró mirando las estrellas —sino el del modo de tratar a la gente de mi armada—. Empezaré —se obligó— por pedir perdón a quienes he maltratado sin justicia. Fray Agustín —se mordió el labio mientras murmuraba su nombre— me parece que está en primer lugar.

Permaneció todavía un largo rato mirando hacia proa como si tuviera la escala en las islas Canarias al alcance de su mano. Cuando estuvo segura del modo en que debía hablarle fue en busca del fraile.

—¿Puedo interrumpir? —le pidió con amabilidad.

—Eres bienvenida —contestó el religioso con sinceridad.

—Te debo una disculpa.

—Aceptada está —sonrió fray Agustín— si de verdad crees que debes disculparte.

—Creo y no creo.

—Me parece que crees y no quieres —continuó sonriendo el religioso.

—Verdad —murmuró María mientras la soberbia se desvanecía de su mirada—. ¡Qué trabajo me da pedir perdón con humildad! —se disculpó.

—Eres demasiado joven —quiso tranquilizar fray Agustín.

—Como si tú no lo fueras.

—No es lo mismo porque tengo siete años más que tú. Pero, por encima de todo, es distinto porque queremos cosas distintas.

—¿Qué quieres?

—¿De verdad quieres oírlo?

—Si me lo cuentas sabré que de verdad me has perdonado —pidió María.

—Yo quería ir a Indias como ahora quieres ir tú. No a gobernar, que apellido no tengo para eso, pero sí a descubrir y conquistar. Hace ahora ya casi diez años el reverendo padre fray Bartolomé de las Casas —fray Agustín se persignó al pronunciar el nombre— llegó a mi casa. Iba buscando a las indias que habían sido traídas a la fuerza de Indias. Con la elocuencia de su palabra, con el prestigio de su santidad, con la autoridad que le daba el respaldo del Emperador, obligaba a que se devolvieran esas infelices a su tierra. La india del servicio de mi casa había venido cuando era niña y ya era vieja. Suplicó quedarse y el reverendo padre accedió. Como si yo fuera importante me preguntó: ¿qué harás tú para devolver a los indios lo que les hemos quitado?

Fray Agustín hizo una pausa como si volviera a pensar una respuesta adecuada. Sonrió y recordó:

—Pedí el amparo de la Santa Iglesia. Combatí mis dudas. Cambié las esperanzas del conquistador por las de soldado de Cristo. Fui como tantos a la consagración de fray Bartolomé en la iglesia de San Pablo, en el año de cuarenta y cuatro —precisó—. El mismo día que lo hacían obispo, en vez de atender la dignidad que recibía me reconoció como si yo fuera importante. Escuchó mis dudas, mi fe y mi compromiso. Puso a Dios por testigo y proclamó que era un día feliz para las Indias porque había uno que se aprestaba a combatir las tinieblas infernales que los españoles estaban llevando. Es todo —sonrió el religioso.

—¿Y las dudas, querido amigo? —preguntó María.

—Las dudas, las dudas... ¡Deja en paz las dudas que estos son días de esperanza! ¡Viento en popa vamos!

—¡Días de esperanza! —repitió María las palabras a modo de celebración.

Las jornadas de viento afortunado se sucedieron pero como si estuviera escrito que no debía existir buen tiempo para mujeres, nació el tedio. Los hombres empezaron a apostar, blasfemar, reñir e incordiar. Sin nada que hacer transformaron en juego el atrevimiento con las mujeres. Los sermones de fray Agustín fueron creciente motivo de risa. A instancias de María, Mencía reclamó con reiteración ante Salazar sin conseguir otra cosa que ser escuchada con atención. Una y otra vez, el capitán contestaba encogiéndose de hombros, explicando que se trataba de hechos inevitables en la mar. La grosería de palabra hacia las mujeres derivó hacia el manoseo frecuente. Sin saber cómo luchar para mantener la moral de la propia hueste, María se dio a montar una vigilancia permanente. Al principio los marinos guardaron hacia ella el respeto que se debe a un superior. Tras muchos días, el hastío del mar los llevó de la mirada disimulada a la abierta grosería; del piropo discreto a la obscenidad. María pensó que era tiempo de valerse de los puñales de Juana, del veneno de Justa, y de la habilidad con los hombres de Josefa, pero no encontró manera. "Si lo hago con secreto no habrá escarmiento; si lo hago en público muestro mis cartas y me expongo a represalias", decía para contener a las suyas y a sí misma.

Decidió encarar al capitán Salazar y lo buscó en la bodega donde estaba verificando la cantidad en que se producían robos de alimentos.

—Cada día tienen —murmuró Salazar como indicando la diferencia entre las cosas importantes y las accesorias— suficiente agua, vino y bizcocho. No falta la menestra de habas, el pescado salado, el arroz, el aceite, el tocino, ni la carne salada en lo que unos u otros días les damos de comer. E igual roban delante de mis narices sin que yo consiga descubrir quienes.

María insistió en su reclamo pero no consiguió otra cosa que verle encogerse de hombros a modo de respuesta. Cuando tornaba a subir escuchó un murmullo de risa de dos hombres que se habían escondido bajo la escalera para mirarla. Temblando de rabia se dispuso a continuar como si no los hubiera visto, cuando una voz con acento inconfundible le preguntó:

—¿Queréis venir a ver esto?

María agradeció íntimamente el llamado del arcabucero que le permitía cambiar el rumbo y se acercó a ver el cañón que le enseñaba.

—¿Os parece suficientemente brillante? —preguntó Hans Staden.

—¿Qué importancia puede tener que un cañón brille? —se intrigó María.

—Los hombres de armas se dedican a las armas cuando están silenciosas o se mal entretienen en los días de tedio. Si el no hacer nada les guía ni ellos ni las armas están nunca preparados.

María rió amistosamente por el mal uso del castellano y preguntó:

—¿Qué queréis decir?

—Que no mal juzguéis a todos por los mal entretenidos.

—¡Los ahorcaría!

—El mar y la horca no rechazan a nadie. Tarde o temprano los precisaréis y no podréis serviros de quienes estén muertos.

—Si hoy actúan así: ¿qué no harán dentro de quince días?

—Uno o muchos de los días por venir tendremos mar arbolada. La ocupación y el miedo los volverá a su sitio y será una suerte no haberlos ahorcado —sonrió Staden.

—¿Y entre tanto?

—No lo toméis a mal pero supongo que tendréis que soportar mucho. Se necesita una falta muy grave para que un capitán castigue a uno de sus hombres por causa de una mujer.

—¡Cerdos, y eso incluye también al que está de parte de ellos!

—No es bueno ofender a quien no puede defenderse. Si un hombre así hiciere, tendría que responder por ello aún siendo noble —replicó Staden con mesura.

—Perdón, no quise —aseguró María, dio media vuelta y se encaminó a cubierta.

Se había alejado tres pasos cuando volvió a girar y nuevamente reclamó, mirándolo a los ojos:

—De verdad, mis disculpas. Me empeño día y noche para que mi gente llegue fuerte y unida a las Indias. Pensé en arrostrar tempestades, corsarios, motines, pero esto...

—Algunos capitanes buscan soluciones.

—¿Algunos con más carácter castigan a sus hombres? —se esperanzó María.

—No, no, eso no —rió Staden—. Nadie discute si un capitán cuelga de los brazos a un hombre que ha sacado el puñal contra otro y le deja allí hasta que llora de dolor. He visto castigar así a despenseros que se guardaban el vino y le daban a la tripulación vinagre mezclado con agua. Eso es justicia para la gente de mar, pero si un capitán da tormento a hombres por cosas menores ...

—¡Cosas menores!

—Entienda como son las cosas de la mar.

—¿Y qué soluciones hay si así son las cosas de la mar?

—He visto que algunos capitanes mantienen ocupados a sus hombres —contestó Staden sin entender la ironía que había en la pregunta de María.

—¿Cómo? —preguntó la joven cambiando completamente el tono.

—Me parece una temeridad decirlo —sonrió Staden.

—Por favor —suplicó María.

—En un viaje de regreso de Indias todo estaba saliendo bien. La carga era rica y el viento favorable, pero la hostilidad entre marinos desocupados se fue avivando. Primero fueron los que perdían a dados y naipes. A los puños del principio siguió una puñalada. Dos o tres noches más tarde, un hombre cayó al mar en circunstancias oscuras. Seguía soplando buen viento pero había un motín en ciernes. El capitán y sus escasos leales teníamos los días, tal vez las horas contadas. Velábamos armas en la oscuridad de la noche prontos para defendernos, cuando uno de los nuestros nos persuadió de abrir una vía de agua en la carabela.

—¿Para hundirla?

—No, no —sonrió Staden—. Las brechas que se abren a propósito obligan a que toda la tripulación trabaje en achicar el agua para que el barco pueda seguir su camino. El miedo disolvió el motín, el agua hizo que fueran indispensables todos los brazos. He escuchado incluso que algunos capitanes abren brechas simplemente para que la tripulación no se acobarde la primera vez que de verdad ocurra.

—De nuevo pido disculpas —detuvo su mirada en él como si quisiera abrazarlo.

—Yo no lo haré —se anticipó Staden— porque no soy un soldado amotinado. Pero si alguien va a ponerlo en práctica, es mejor que yo lo sepa para controlar que no se le vaya la mano.

—¿Cómo se hace?

—Para que no se note que ha sido a propósito, rascando la brea que hay en las juntas de los maderos.

—¿Y si sale mal?

—Si la vía es más grande de lo que se puede achicar, nos hundimos. Si coincide con un temporal, nos vamos a pique. Si nos avistan barcos enemigos en esa situación, estamos perdidos. En fin, tenerlo todo bajo control en la mar no es sencillo.

—Arriesgaré.

—Nada ganáis con decírmelo hasta que lo ejecutéis.

—¿Iréis a contárselo al capitán?

—Me malinterpretáis. Yo no llevo ni traigo cuentos. Bastante ocupado estoy con mis asuntos y el barco no es mío —rió Staden.

—Parece que poco os importa naufragar.

—Si zozobramos ya se verá —sonrió Staden—. Pero si me lo autorizáis haré una observación de tosco soldado pero de buena fe.

—Lo permito —aseguró María.

—¿No os ocupáis demasiado del barco y excesivamente poco de aquello en lo que una señora principal debiera ocuparse?

—¿Debiera? —replicó María con los dientes apretados.

—Me tomáis a mal porque no sé expresarme delante de una noble señora.

—Hablad como si yo fuera cualquiera otra de las pasajeras.

Un destello de picardía iluminó la sonrisa de Staden; por un instante pareció que iba a recorrer con la mirada el cuerpo de María, pero al momento se contuvo y observó:

—Ni puedo ni debo.

María se mordió el labio inferior, fue a exigirle que continuara pero se contuvo, sonrió, agradeció y volvió a cubierta. A la noche se había provisto de las herramientas necesarias, y con el auxilio de Juana, Justa y Josefa, abrió una pequeña brecha. Sin que nadie notara el movimiento, las cuatro devolvieron las herramientas a su sitio y se tumbaron a esperar que la novedad fuera descubierta.

—¿Gritos de pavor o pasos precipitados? —se preguntaba María durante la tensa espera. En tal género de apuesta estaba cuando un chillido disipó sus dudas. Cien personas se pusieron en pie al unísono. Unos corrieron hacia cubierta como si pudieran escapar del agua. Otros chocaron con ellos mientras bajaban con desesperación a inspeccionar la gravedad del problema. Todos se estorbaban y nadie atinaba a buscar las bombas ni los cubos de achique.

Algunas de las mujeres sujetaron a otras, que aterrorizadas procuraban lanzarse por la borda. Unos marineros se afanaban en desamarrar y bajar el batel. Un estampido sacudió el aire y eliminó el bullicio. Como si hasta entonces no hubiera estado en la nave, el capitán Salazar apareció en cubierta. Sostenía entre los dedos índice y anular la mecha, todavía encendida, con la que había disparado al aire un tiro de arcabuz. Su sola presencia puso orden y bastó para abrirle paso hasta la zona inundada. Un momento más tarde regresó a cubierta y dio órdenes con la misma actitud que había tenido en las aburridas mañanas precedentes. Minutos más tarde, las bombas y la cadena de cubos funcionaba a pleno y empezaba a ser igual el agua que entraba que la que se arrojaba por la borda.

Cuando la situación estuvo controlada, Salazar mandó llamar a la propietaria del barco. Mencía acudió presurosa, todavía con el miedo impreso en el semblante y preguntó, como quien interroga al cirujano por la gravedad de la propia enfermedad:

—¿Y?

—No nos hundiremos. Preciso haceros un pedido extraordinario: ¿podéis llamar a vuestra hija María?

—Claro —replicó, se marchó, y en un instante estuvo de regreso con ella.

Salazar las miró como si presidiera un interrogatorio y luego de alguna vacilación explicó:

—Me abochorna lo que voy a decir pero comprenderán que es preciso.

—Hablad —pidió Mencía mientras María clavaba las uñas en la palma de sus manos.

—Al ritmo que vamos —aseguró Salazar— no podremos mantener la nave a flote sin vuestra cooperación.

—A las órdenes de lo que Vuestra Merced estamos —aseveró la madre, mientras la hija reprimía un suspiro de alivio.

—Hay dos alternativas: la una arriesgada; la otra fatigosa. Puedo hacer clavar una plancha de plomo por fuera para taponar la brecha, pero es fácil perder al que se zambulla en la mar abierta. En caso contrario —continuó Salazar— deberemos achicar día y noche, pero los hombres no alcanzarán para cubrir todos los turnos. No me ha pasado inadvertido el ascendiente que tiene vuestra joven hija sobre nuestras pasajeras. De modo, doña Mencía, que si cuento con vuestro permiso, habré de pedirle que se ponga a mis órdenes para tal empeño.

—Claro —murmuró Mencía, como interrogando a su hija.

—Claro —replicó María, tratando que el contento que la embargaba apenas pareciera aplomo.

Enseguida estuvieron siete mujeres pasando de mano en mano los cubos llenos de la bodega a la borda, mientras otras tantas se empleaban en devolverlos. Los turnos fueron breves y antes que una obligación, parecía que la oportunidad de emplear las manos y el tiempo era aguardada como privilegio. Se estableció cierta camaradería entre los hombres que movían rítmica y fatigosamente las bombas y las mujeres que hacían volar de mano en mano los cubos. Al mediodía era claro que mientras se mantuviera el buen tiempo podían achicar tanta o más agua que la que entraba. Alguien empezó a cantar tonadas sobre la tierra que dejaban y al poco, el sonido del coro se sobrepuso al del agua que entraba y salía; al del aire que era generosamente aspirado y resoplado por el esfuerzo.

A media tarde el trabajo ya tenía su propio ritmo y María empezó a darse descanso. Iba y venía como quien desea que sus subordinados trabajen por sí mismos pero no olviden la cercana presencia del superior. Al atardecer se alejó hasta su sitio favorito junto al ancla de proa y contempló largamente el mar que la separaba de las que ya le parecían cercanas islas Canarias.

—Vaya la que has liado —murmuró Josefa a sus espaldas.

María volvió la cabeza, la recibió con una sonrisa y murmuró:

—Hemos.

—¿Y ahora qué?

—Ahora a disfrutar el camino hasta las islas.

—¿A disfrutar?

—¿Preferías seguir como estábamos antes? —sonrió María.

—No, claro que no, pero yo llamo disfrutar a otras cosas —rió.

—¿Qué?

—Vamos, que eres una niña inocente pero no tanto.

María fue a contestar de mal modo, pero se contuvo y confesó:

—Es muy difícil para mí, que debo controlarlo todo, admitir que no entiendo nada del tema que hablas.

—Eso tiene fácil solución —rió Josefa.

—¿Cuál? Habla en serio.

—Si así lo ordenas me lo pones difícil. Yo iba a recomendarte que buscaras quien te guste y le invitaras a que te enseñe. La noche será sin luna y gracias al agua, todos están bien ocupados en sus asuntos. Lo bastante como para no notar...

—Pedí que hablaras en serio —insistió María, pero sin irritación.

—Hablo en serio: ¿qué otra manera hay? De pronto alguno de tus libros te enseña —rió Josefa.

—De eso se trata; de encontrar quien me enseñe.

—¿Enseñar sin practicar? No sabes lo que dices.

—¡No quiero practicar! Al menos por ahora —matizó María.

—No será fácil entonces.

—Prometiste ayudarme.

—Bien sabes que quiero, pero eso es muy difícil de explicar con palabras.

—Me avergüenza pronunciar lo que quiero pedir —aseguró María mientras su rostro enrojecía.

—No seas niña —tranquilizó Josefa.

—Te burlarás de mí.

—Juro que no —volvió a tranquilizar Josefa.

—No querrás.

—Vamos —rió

—No, no; otro día te diré —murmuró María con precipitación e hizo ademán de marcharse.

—Espera —pidió Josefa apoyando la palma de la mano sobre su hombro. —Espera —reiteró. —Supongo que sabes que un buen capitán sabe confiar en sus soldados —rió.

—Es horrible.

—Al principio algunas de estas cosas son horribles, luego una se acostumbra y después te terminan gustando —rió Josefa.

—Quiero ver.

—¿Qué quieres ver?

—Cómo se hace —murmuró María sin poder evitar la oleada de rojo intenso que subió a su rostro.

—Ah —murmuró Josefa. —Y quieres que yo ...

—Sí.

—Bueno, bueno, bueno —murmuró Josefa mirando el piso y moviendo a un lado y otro la cabeza.

Alzó el rostro, miró hacia adelante, dejó que una risa grosera aflorara y contestó:

—Habrá que elegir con quien. Fray Agustín no estaría mal para mi gusto pero temo que es pieza difícil. Además —continuó ironizando— me parece que poco serviría para una clase. Mmm —murmuró mientras se pasaba la lengua por los labios como quien imagina distintos sabores. Propuso y descartó varios nombres y al final sugirió—: el soldado alemán.

—¡Ese no! —reaccionó María elevando la voz al punto que pareció que había gritado.

—¿Y eso? —se intrigó Josefa.

—No, no —quiso María disimular su confusión—. Es que ese me ha ayudado.

—Vamos —rió Josefa—. ¿Y eso qué tiene que ver? Parece que crees que lo voy a someter a espantoso sufrimiento.

—Ese no —volvió a pedir María en tono que pareció súplica.

—Bien, bien —rió Josefa—. Mira por donde; parece que al menos nuestra capitana tiene paladar, que yo ya creía que era de hielo.

—¿Buscarás otro?

—Buscaré, pero te advierto que quedas en deuda conmigo —rió Josefa—. Y creo —añadió con un guiño de malicia— que si el arcabucero estuviera escuchando no te agradecería la reserva que has hecho.

—Dime dónde y cuando debo esconderme —pidió, para acabar con la conversación.

—Te avisaré —aseguró Josefa, volvió a reír y se alejó moviendo sus caderas como acompañando el ritmo de las olas.

"Le envidio", suspiró para sí María mientras volvía a controlar que todo continuara debidamente en la cadena de cubos. "Le envidio", tornó a pensar en la noche siguiente mientras se ocultaba en el lugar convenido. Aguardó conteniendo la respiración agitada por la duda sobre lo que estaba haciendo. Fue a abandonar el escondite, pero el murmullo de pasos le anunció que ya era imposible sin que la descubrieran. Con pausa Josefa se desvistió e hizo lo propio con su ocasional amante. Como si estuviera ebria, lo condujo como a danzar bajo la escasa luz de las estrellas, para exhibirlo.

Durante los minutos que siguieron María mordió hasta sangrar su labio inferior para reprimir cualquier sonido que pudiera delatar su presencia. Puso todo el esfuerzo en cerrar los ojos pero cada jadeo, cada ruido de un cuerpo contra otro la empujaron a abrirlos. Cuando Josefa y su ocasional amante se alejaron olvidó que estaba en una nave y pensó en salir corriendo, pero permaneció inmóvil como quien yace en calma tras la tormenta.

Desde entonces no consiguió librarse del asedio de una impaciencia que no comprendía. Pensó en recurrir a fray Agustín, pero se fastidió de antemano imaginando la reconvención que habría de oír. Fue a preguntarle a Josefa y recordó que le había respondido entre risas que sin probar no había manera. Mantener en buen orden el trabajo de los que achicaban agua apenas le requería atención. Percibió que empezaba a contestar de pésimo modo y supo que si así continuaba no haría sino perder el crédito ante su gente.

Maldiciéndose a sí misma cada vez que lo intentaba, procuró llamar la atención del rubio arcabucero. Toda vez que no obtenía más que amabilidad e indiferencia maquinaba planes de venganza que pronto descartaba con la sola consecuencia de aumentar su desasosiego. Aunque hizo indecibles esfuerzos por ocultar la agresividad, no consiguió que pasara desapercibida a los ojos del fray Agustín.

—Parece que tu anhelo fuera un látigo para arrancarnos a todos la piel de la espalda. Querida amiga: ¿quieres decirme qué te ocurre? —se puso a disposición el religioso.

—Nada —replicó María en tono de quien ha dado por concluida la conversación.

—Bien —suspiró el fraile—. Tiempo hubo en que me dispensabas más confianza y tiempo habrá en que vuelvas a hacerlo. Supongo que sabes que estoy siempre a tu disposición —murmuró para agregar luego de una pausa—, pero ahora te traigo problemas.

—¿Problemas; qué problemas?

—Juana: uno de los marineros era su vecino y sabe quién es.

—¿Qué sabe? —se alarmó María.

—Que desapareció de Sevilla como quien trata de dejar un rastro falso; que los de la inquisición preguntaron mucho por ella cuando ya no estaba; que no creyeron que la hubieran robado ni matado.

—¿Qué le has dicho?

—Le he asegurado que se equivoca, pero mostré preocupación y le aseguré que indagaría.

—¿Qué quiere?

—No sé; no estoy seguro.

—¿Una recompensa por su silencio?

—No estoy seguro; creo que no.

—¿Entonces?

—Cree que si ella sigue en la nave, la mala suerte se ensañará con la armada.

—¿Qué hacer?

—Sobornarlo será declaración de culpabilidad; amenazarlo valdrá apenas hasta que se sienta seguro en Canarias. Tal vez persuadirlo de lo que no parece dispuesto a creer; de su error.

—¿Servirá?

—No podemos saberlo. Si habla, lo hará con las autoridades en Canarias.

—¿Y un accidente en el mar?

—¡María! —se horrorizó fray Agustín—. ¡Es un hombre inocente!

—Solo preguntaba.

Luego susurró:

—A tus dotes de persuasión nos encomiendo —mientras continuaba evaluando la entidad de lo que arriesgaba y a cambio de qué. Se distrajo haciendo conjeturas sobre el alcance de una denuncia e hizo gesto de marcharse.

El fraile reclamó:

—Por favor espera, que otra cosa también me preocupa.

—Adelante —suspiró María.

—Nada tiene que ver con lo anterior. Tiene que ver contigo. No estoy ciego para no ver la causa de tu desasosiego.

—¿Cuál es? —desafió.

—Si deseas que no siga puedes decirlo. Pero si me dejas continuar, escúchame.

—Bien —convino María, suavizando el tono de voz.

—Es evidente que se te ilumina la mirada cuando encuentras al soldado alemán.

—¿Y si así fuere, qué? —volvió a desafiar.

—¡María! No puedes preguntar eso en serio ¡Es un soldado! ¿Cómo llevarás a cabo lo que te propones sin el mínimo crédito?

—¿Qué quieres que haga? —respondió con insolencia.

—¡Yo qué sé qué has de hacer! ¡Por lo pronto dejar de buscar pretexto para ponerte en el camino del arcabucero!

—¡Qué sabes tú!

—Por lo menos, que el otro parece decente y no sabe cómo comportarse delante de tus requiebros.

—¡Maldito seas! —murmuró María con los dientes apretados—. ¡Vete a ocupar de tus pobrecillas almas descarriadas y déjame en paz! Acaso —se le ocurrió para agredir—, crees que no he visto cómo no puedes apartar la vista del cuerpo de Josefa.

Fray Agustín tembló como quien hace un supremo esfuerzo para contenerse, enrojeció, se puso lívido, dio dos pasos hacia el costado y se inclinó sobre la borda para vomitar. Un momento después María se acercó y pidió:

—Perdóname, querido amigo.

—El problema —murmuró el religioso cuando recobró el habla— no es que te perdone. El problema —susurró como quien ha sido puesto delante de una escena que no puede soportar— es que has dicho verdad. ¿Qué podré yo hacer? —se lamentó—. No hay fatiga a la que no me someta ni sufrimiento de la propia carne que no me haya proporcionado, pero es inútil —suspiró.

María se mantuvo junto a él, como quien brinda protección a un niño. Permanecieron ausentes, con la mirada puesta en el agua que la quilla pronto habría de dividir.

—Te diré algo terrible que no quiero callar —murmuró María tras un largo silencio.

—¿Qué puede ser peor que un hombre sin constancia para cumplir sus votos con Dios?

—Te diré lo que por encima de cualquier cosa en el mundo hubiera deseado que me dijeras respecto del arcabucero.

La perplejidad del religioso no menguó su abatimiento.

—Dilo, que en cualquier caso, qué más da —susurró.

—Desde que llegó ante mí en Sevilla lo he sabido. Sé que le gustas. Sé que Josefa ha accedido a cambiar de vida por seguirte.

Fray Agustín dio media vuelta y como borracho, corrió a refugiarse en el otro extremo de la nave. María lo miró con tristeza y se encogió de hombros en la actitud de quien sabe que de momento nada puede hacer. Luego tornó a ocuparse en mantener el buen orden en el incesante ir y venir de cubos para mantener estable el nivel de agua.

—Pronto estaremos en tierra y habrá semanas para descansar bien y comer mejor —animó a todos.

Tras seis días de sol y buen viento el vigía anunció tierra.

—La felicidad es esto —observó María para sí recostada en la baranda de popa—. Tratar de distinguir tierra —murmuró observando la multitud apiñada en la banda de estribor, hacia proa—. Emoción infinita por distinguir una playa que desdeñarían si estuvieran en ella —se dijo, ajena a la celebración.

Los ojos de María encontraron la espalda de Staden a un costado de la multitud, pero junto a ella. El arcabucero estaba de pie sobre la baranda de estribor, tan inclinado sobre el mar como se lo permitía el largo de su brazo izquierdo con el que se sujetaba a un cabo. Al rato, cansado de esa posición tomó impulso y saltó sobre cubierta. Giró para acercarse al palo mayor y subir a contemplar mejor la lejanía. La mirada de María encontró entonces la sonrisa de Staden.

—Mucha agua hemos tenido en el camino —rió el arcabucero mirando alternativamente en dirección a tierra y hacia la bodega— para no saltar de alegría por la cercanía de la costa.

María impostó una sonrisa como la de quien se alegra por el éxito de una fiesta a la que ha decidido no concurrir y continuó observando, como si de su atención dependiera la suerte de la nave.

—¿No deseáis subir? —preguntó Staden señalando la escala de cuerdas que llevaba a la cofa del palo mayor.

—Pero... —trató de ganar tiempo María para aquietar el desbocado latido de su corazón.

—Os ayudaré —ofreció Staden con ancha sonrisa—. No dudéis y no caeréis. Ni temáis, que cuando se ve tierra tras una eternidad en la mar, nadie presta atención a lo que hacen los demás.

La estrecha cofa la obligó a permanecer junto al arcabucero. De pie contempló la tenue costa como quien ha llegado con buena fortuna a la puerta del paraíso. Bajó a cubierta sin llamar la atención. Se acercó a todos y a cada uno llamó por su nombre para dar una enhorabuena personal. Sumó la propia alegría a la felicidad del conjunto. Esperó con todos el pronóstico del capitán que no se hizo esperar anunciando que a la mañana siguiente sería posible saltar a tierra. Sin embargo, a medida que el azul del horizonte se oscureció, mientras la noche avanzaba sobre los últimos reflejos del sol, creció en ella una ansiedad desconocida. Desesperadamente buscó a quien contar la propia felicidad. Sonrió, no sin tristeza, al encontrar que de cuanta gente había en la nave el único con quien se sentía capaz de hablar, era un religioso aterrorizado por lo mismo que en ella resplandecía.

Apenas concilió un breve sueño durante la última hora de oscuridad. Al fin, bajo el vigoroso sol del mediodía, fondearon en la isla de la Palma. El ir y venir de bateles acercó a la playa hombres y mujeres deseosos de inclinarse, tocar con la frente y besar la tierra que les proporcionaba descanso. María repartió cordialidad mientras aguardaba para ser la última de las mujeres en desembarcar. Staden también quedó a bordo como si tuviera obligaciones que cumplir. Aprovechó la oportunidad que le proporcionaba la escasa gente, se acercó a María y con voz baja y ancha sonrisa ofreció:

—He estado en la isla; está llena de encanto y tiene algún peligro. Si deseáis pasear, precisáis un guía y soy elegido para tal, me sentiré muy afortunado.

María mostró con una sonrisa el placer que le producía lo que acababan de ofrecerle. Rió para sí, divertida con la complicada frase que, estaba segura, Staden había pensado largamente antes de pronunciar.

—Nos veremos en tierra —aseguró, y se dispuso a desembarcar.

VII

Era imperioso reponer fuerzas y renovar la provisión de alimentos frescos. También era esencial reparar el casco de la nave y para tal, era necesario desembarcar parte considerable de la carga. Semanas habían de pasar mientras los botes transportaban hacia tierra y luego reponían en su sitio la mercadería. Debían volver a estibar cajones y bultos, evitando que el movimiento los transformara en temible martillo dentro de la bodega. Era necesario aprovechar las aguas transparentes y quietas de la bahía para que hombres sumergidos clavaran placas de plomo que cegaran por el exterior las vías de agua. Era indispensable la ímproba tarea de dejar seco el interior para revisar grietas y calafatear meticulosamente.

María resolvió con eficacia los problemas de alojamiento de su hueste. Desde el principio visitó reiteradamente la playa como si le tocara supervisar la reparación de la nave. Tras una semana consideró suficiente el descanso que había concedido a su gente y dispuso tareas que cortaron la tendencia creciente a las riñas.

A medida del aumento de su tiempo libre se preguntaba con más frecuencia: "¿Dónde quiero llegar?", cada vez que sus impulsos la llevaban a buscar la cercanía del arcabucero. "¿Y si me acerco a él y es de los que por las noches se jactan delante de quien quiera escucharlo?", temía y se tranquilizaba asegurando para sí: "no, no puedo equivocarme tanto pero: ¿y si fuera?", se atormentaba. "Si fuera...", se contestó a sí misma con una sonrisa helada, "...el veneno haría lo suyo. Pero vamos, María", se tranquilizó, "es evidente que sabe lo de la vía de agua y es muy claro que de su boca no ha salido palabra".

Llena de dudas, resolvió valerse de lo que el propio Staden había ofrecido. Con pretexto de mantener activa a su gente, organizó largos paseos y reclamó los servicios del arcabucero, como guía y protección. Volvió decepcionada de la primera de esas marchas porque la pegajosa presencia de los demás le había impedido siquiera sonreír al alemán. Resolvió la dificultad disponiendo que los paseos se hicieran en grupos más pequeños y en el propio, solo incluyó a sus tres criadas de máxima confianza, a fray Agustín y al arcabucero.

—Sé, querido amigo —susurró con calidez María mientras caminaba al lado del religioso— que te esfuerzas viniendo a estas caminatas por salvaguardar mi virtud.

Fray Agustín asintió como quien desea contestar con semblante adusto pero no logra disimular la fortaleza de su alegría.

—No consigo ver el mal en esta maravilla —aseguró contemplando los distintos tonos de verde del paisaje.

—Veo, querido amigo, que te ha picado parecido insecto que a mí —sonrió María mientras evaluaba las posibilidades que brindaba el camino sinuoso para tomar de la barba a Staden y desaparecer con él.

—Es evidente —sonrió fray Agustín— que te esfuerzas en atormentarme, pero tras muchas noches de angustia, Dios me ha concedido este día de paz.

—Paz —sonrió María—. ¿Paz? —preguntó con la entonación de quien es capaz de ver el maravilloso paisaje que se extiende delante de sus ojos—. ¿Descansamos? —propuso señalando un claro en lo más alto—. ¿Descansamos? —propuso esta vez para todos, después de contar con la aprobación del religioso.

Compartieron belleza, queso, vino y risas. Finalizado el improvisado almuerzo, María se incorporó y propuso:

—Hay una cosa inadecuada para una dama pero que a quienes aquí estamos nos convendría aprender.

Sin aguardar respuesta, tomó la ballesta que el arcabucero había dejado a su lado y preguntó:

—¿Nos enseñaréis a usarla?

—Las armas no son juguete —murmuró el alemán.

—¿Nos enseñaréis?

—A vuestras órdenes estoy, pero las armas no son juguete.

María apuntó a lo lejos con la ballesta sin armar. Fray Agustín se excusó diciendo que las armas las carga el demonio y asegurando que en sus manos eran más peligrosa que en las de un ciego. Juana y Josefa ni negaron ni demostraron mayor interés. Justa rió mientras aseguraba:

—Esas no son mis armas.

Staden se puso en pie, con amabilidad pero con firmeza recuperó su arma y concedió:

—Enseñaré, pero llevará esfuerzo.

Se alejó buscando un sitio adecuado, regresó y los condujo donde un grueso tronco de madera blanda, a cuyas espaldas había un macizo vegetal útil para detener las flechas erradas. Ante el interés de unos, la indiferencia del religioso y el bostezo de Josefa, explicó detenidamente las partes y el funcionamiento de una ballesta. Tras ello la cedió a cada uno de los presentes para que tensaran la cuerda y colocaran en su sitio la saeta. Fray Agustín y Josefa agradecieron con una sonrisa, pero renunciaron a hacerlo.

Staden mostró el modo de apuntar y desde unos treinta pasos disparó. La flecha quedó temblando exactamente en el punto que había señalado. El arcabucero desdeñó el murmullo de aprobación y sintetizó en frase que lo dejó sin aliento:

—Difícil es acertar en una pequeña pieza de caza que se mueve veloz y se esconde entre las ramas; complicado es flechar a un hombre que viste armadura, que no quiere morir y que se mueve por la cubierta de un barco que también se mueve. Difícil es cuando el que dispara también lo hace desde unas tablas que las olas zarandean y también tiene miedo a la muerte.

—Vuestro discurso, querido amigo, no va en zaga a los de Cicerón —aplaudió fray Agustín.

—¿Qué? —preguntó Staden.

—Olvidadlo, que hemos entendido perfectamente —rió María.

—¿Quién quiere disparar? —ofreció Staden.

—Yo —se adelantó María y luego como molesta por la prisa que había demostrado cedió el turno con un movimiento de cabeza a Juana y a Justa.

Ambas declinaron y María caminó hasta situarse en el punto adecuado. Armó la ballesta, colocó la saeta y apuntó. Staden se aproximó para corregir la posición y luego retrocedió un paso. María perdió completamente la concentración y el arcabucero volvió a aproximarse. Nuevamente corrigió la posición y para ello quedó pegado a la espalda de la joven, sujetó su brazo y murmuró al lado de su sien:

—Así está bien.

María se estremeció e hizo un ligero movimiento de retroceso que la dejó más estrechamente contra el pecho de su ocasional maestro. Incapaz de mantener la concentración disparó muy desviado y volvió a su sitio, procurando parecer molesta por tamaño desacierto.

Tras numerosos disparos cierta sensación de monotonía envolvió a los que aguardaban turno para practicar e impacientó a los que observaban. Regresaron en silencio como al final de una dura jornada.

"Mi problema", trataba de ver María las cosas con claridad "no es quedar a solas con él, que eso puedo conseguirlo con facilidad. Mi problema es que no acabo de decidir qué es lo que quiero", se decía mientras se esforzaba por disimular el contento extraordinario, la irritación extrema y el ensimismamiento que alternativamente la dominaban.

Anduvo casi todo el tiempo con la mirada del que observa el camino temiendo resbalar. Consiguió de ese modo ocultar la ira que brillaba en sus ojos, así como los estallidos de avidez por el cuerpo del arcabucero.

"Mi problema tampoco consiste en no saber lo que quiero, que bien sé qué es lo que busco", pensó María mientras lo seguía con los ojos del deseo. "Mi problema", concluyó con un suspiro, "es que no sé dejar de pensar. Si no consigo dejar de preocuparme; si no refreno el empeño de controlarlo todo, nada ocurrirá", se atormentó durante los paseos de los días siguientes.

Al cabo resolvió tomar la iniciativa de favorecer el acaso. La ocasión no tardó y le proporcionó lo que quedaba de una tarde a solas con el arcabucero.

"¿Y ahora qué?", se preguntó mientras pasaban los minutos y el otro permanecía sin tomar iniciativa alguna. Se repitió una y otra vez la pregunta estirando su paciencia hasta el infinito. Entonces afirmó con la entonación de voz del que insulta:

—He visto que miras con deseo a todas las mujeres. A todas menos a mí.

Staden no mostró sorpresa por la expresión. Permaneció sentado, agachó la cabeza y se entretuvo en continuar el dibujo que hacía con un palo en la tierra. Sin levantar la vista contestó: —no es así.

—¡Explícate! —mandó María como hablando con un subordinado.

—Soy un soldado; sois la más noble entre las nobles: ¿por qué queréis mi ruina; por qué buscáis la vuestra?

María no supo qué responder, pero su corazón se agitó porque entendió que la respuesta no era negativa.

—¿Es todo? —murmuró luego de unos instantes cargados de silencio.

—¿Es poco? —replicó Staden.

Tras una nueva pausa, María se dolió:

—Me entristece que estés tan decidido a luchar contra la tempestad, las fieras y los hombres y tan poco dispuesto a hacerlo por una dama.

—En lo primero hay esperanza. Puedo vencer; por desigual que sea el combate, siempre tengo una posibilidad de vencer.

—¿Vencer para qué?

—Para vivir, si Dios no lo dispone de otro modo.

—¡Vaya, qué poco animoso me ha resultado el caballero! —ironizó María.

Staden no contestó. Se incorporó y señaló con la mirada la dirección de la bahía como invitando al regreso. María contuvo el insulto; fue a decir que volvería sola pero imaginó la imposibilidad de explicarlo a la llegada y se contuvo. Maldiciendo, cargada de furia se dispuso a seguir al alemán. Bajaron con rapidez y en silencio, casi saltando de peña en peña. El arcabucero se detuvo frente a un desnivel casi tan alto como él. Dejó la ballesta en el piso, apoyó la mano derecha y saltó sin dificultad. Se detuvo para ofrecer auxilio a María y ella la rechazó con una mirada de odio. La joven se sentó, dejó colgar las piernas y afirmó las manos a cada costado para ayudarse a saltar hacia adelante. Staden se colocó frente a ella extendiendo los brazos para sujetarla. María volvió a negar enfáticamente con la cabeza. El arcabucero se adelantó, colocó sus manos entre los brazos y el cuerpo de María y la alzó como para ayudarla a bajar. María se resistió golpeando con los puños la parte exterior de los brazos de Staden. Por un instante sus miradas se cruzaron y Staden se acercó aún más para que María descendiera rozando suavemente su cuerpo. La tomó luego casi con furia y la besó con desesperación. La tumbó sobre la mullida hierba, abrió con premura su ropa y la propia y la poseyó. Luego quedaron tumbados, acariciando mil sueños hasta que las alargadas sombras de la tarde les exigieron volver.

Esa noche María anheló un feliz incendio que arrasara las naves y los dejara para siempre en esa tierra. Al amanecer fue a la orilla del mar y la golpeó la evidencia que mostraba que pronto habría que zarpar. Anduvo entre las rocas buscando un lugar apartado, no sabía si para llorar o pronunciar a voces el nombre del amado. Nada hizo pero cuando volvió a la playa tenía en el rostro la luz de los que sienten que hay esperanza.

Al día siguiente dio las órdenes habituales a su gente. Cuando resolvió el modo de librarse de los acompañantes en el inminente paseo, se unió a quienes le aguardaban para iniciar la marcha. Staden vino hacia ellos con paso seguro pero mirada huidiza. Saludó, eludiendo que sus ojos se encontraran con los de María y sin más, echaron a andar con el objetivo de alcanzar una cumbre. María apresuró el paso de tal modo que era difícil seguirla. A un gesto suyo, Justa se detuvo e invocó excesiva fatiga. María rió mirando a los demás que jadeaban igualmente y observó:

—Queridos amigos, evidente es que a vuestro paso me quedaré sin conocer la isla. Id a vuestro ritmo que os aguardo en la cima, si llegáis —rió.

Sin dar lugar a respuesta prosiguió la veloz marcha ascendente. Staden miró al grupo, vio a María que se alejaba rápidamente y como quien elige cumplir uno y descuidar otro de los deberes de su cargo, salió en persecución de la joven. La alcanzó cuando ya estaban fuera de la vista de los rezagados, se situó a su lado en silencio y anduvo como si estuviera obligado a observar continuamente donde ponía los pies.

—Qué mala cara tienes —rió María.

—Ay, ay —suspiró Staden con una sonrisa.

—¿Ya has decidido apartarme de ti y esos lamentos lo presagian? —sonrió María.

—Ay, ay —volvió a suspirar el arcabucero, pero esta vez con menos tristeza, y la sujetó por la cintura sin parar de caminar.

María pasó su brazo por encima del de Staden, también lo sujetó por la cintura, lo atrajo aún más hacia sí y continuó caminando de prisa a su lado. Guardaron silencio cien pasos, hasta que el arcabucero se colocó delante de la joven como cerrando su camino, enlazó con ambos brazos su cuello y la besó largamente. Luego, con la mirada fija en sus ojos, como respondiendo a lo que María le había dicho, se lamentó:

—Tú has decidido apartarte de mí en el mismo instante en que me has hecho tu esclavo.

—Tonterías —rió María—. Esquiva, querido mío, tamañas tonterías que en unos días la mar ya no nos permitirá estar a solas.

Como si hubiera sido llamado a la realidad de la belleza, Staden volvió a abrazarla y besarla. La alzó luego en brazos y la llevó hasta un claro rodeado de peñas y tapizado por suave hierba. Cambió la desesperación de la víspera por la dulzura; en lugar de arrancar su ropa la desvistió sabiendo que no había ninguna cosa más importante en el mundo.

Por un momento, María recordó:

—Imaginar que ayer estuve al borde de preguntar si eso era todo.

Luego maldijo su incapacidad para dejar de pensar y después, sin saber como, se abandonó absolutamente, sintiendo lo que jamás había imaginado que se pudiera sentir.

Más tarde, tumbados, abrazados, riendo en silencio uno contra el otro, escucharon a cien pasos el rumor de los que se dirigían a la cima. María hizo ademán de incorporarse para buscar el modo de llegar antes que ellos.

—Deja —pidió Staden—. Ya estuve ahí y será fácil dar detalles del lugar. Diremos que nos cansamos de esperarles y regresamos sin verles.

—¿Lo habías preparado? —rió María feliz.

Sin esperar respuesta reclinó la cabeza sobre el pecho desnudo de Staden y entre el sueño y la vigilia pensó que en cuanto había comido hasta hacía dos días no había sal ni especias; que el cacao que había probado no tenía azúcar. Se vio como quien había visto el agua pero ni se había sumergido ni había sido mecido por el tibio oleaje.

"Hasta ahora no he visto la verdadera luz; no he escuchado música ni he sabido cantar", pensó María acariciando con su pierna las del arcabucero. "Mi piel y mi corazón han salido de la armadura que los encerraban".

Se adormeció descansando delicadamente la palma y el rostro sobre el torso del amado. Cuando fue imperioso regresaron a la playa. Apuraron hasta el límite cada segundo posible, sabiendo que habían de zarpar. El día de levar anclas los encontró rebeldes como cualquiera que vive un mundo en primavera. Embarcaron comprometidos a sobreponerse a la pesada carga del secreto. Llevaban las más dulces palabras, los juramentos más solemnes. Iniciaban la travesía del océano con la piel despierta y la esperanza desatada.

—Una vez en el Río de la Plata; una vez reconocida por todos, no será difícil convencerlos, obligarlos a que acepten nuestra boda —se ilusionaba María mientras se obligaba a atender la hueste que había descuidado.

Sin buscarlo, rebajó la exigencia y su natural se tornó más indulgente. Apenas registró como rumor distante la risa obscena, el gesto grosero, el ademán burdo de la marinería. Olvidó descargar el látigo de sus ojos censores y prefirió simular que no veía la creciente cercanía entre hombres y mujeres. Fue amorosa con su madre y su hermana y escuchó sus confidencias, aunque sin atreverse a las propias. En todo momento se sintió acompañada; no hubo vez en que el recuerdo del amado no le arrancara una sonrisa. Estuvo segura de tener mérito y fortuna en la buenaventura que se derramaba sobre ella y los demás. Un día tras otro vio como el viento contrario empujaba los navíos hacia la costa de Guinea. Todas las veces estuvo segura que no habría fuerza capaz de desviarla de la gobernación que iba a dirigir. Agonizaba de impaciencia aguardando la siguiente vez en que podría cruzar una mirada con el arcabucero. Mientras se ocupaba ardientemente en que todo fuera bien, soñaba despierta con el naufragio que los arrojara solos en huérfana balsa. Mientras consolaba a los que empezaban a inquietarse por el torcido rumbo, inventaba tareas que le dieran ocasión de pasar junto a él; de verlo a menos de un paso; de rozarlo. Escuchaba los lamentos por el riguroso calor del ecuador sin entender cómo no disfrutaban los cubos de agua salada. No entendía qué clase de ceguera les afectaba para permanecer indiferentes ante los cuerpos cuyas formas dejaba en evidencia la ropa mojada. Evocó muchas veces con nostalgia y gratitud a Cabeza de Vaca. Pensó con tristeza en su tío Hernán Cortés, en su padre, en el criado que había enviado a la muerte y les compadeció porque no habían sabido qué era el amor. Con la imaginación escupió sobre la tumba del traidor que Juana había apuñalado. Se prometió cuidar a su hermana y juró para sí que su madre volvería a casarse, esta vez con felicidad.

Cuanto peor soplaba el viento arrojándolos contra la costa africana, más brilló su sonrisa tranquilizadora, su caricia de consuelo, su palabra de aliento. Acercó a las mujeres expertas en aliviar dolores a cuantos sufrían las enfermedades del hacinamiento, de la falta de alimentos frescos, del agua contaminada, del calor del trópico. Consiguió que cada nuevo día de lenta y desviada navegación fuera menor la grosería con la que la marinería saludaba su paso. Al amanecer, a la caída del sol, a la hora en que la gente ve menos y contempla más, algunos hombres empezaron a persignarse para saludar su paso. Los agobiados trabajadores de la mar recibieron sus cuidados como el leñador, la atención de una princesa.

—No te engañes; no creas —suspiró María— que soy tan buena. Pongo en los demás lo que quisiera darle a él —confesó a fray Agustín.

—Hace mucho busco sin encontrar, dónde está el mal en querer tan intensamente. Pero no confíes en mí, que tal vez no lo encuentre buscando la propia indulgencia.

—¿Qué Dios tan cruel puede condenar por amar así? —se interrogó María.

Fray Agustín se encogió de hombros como quien sabe que ni tiene ni tendrá una respuesta. Miró a la joven y aseguró: —pero quiera Él que yo sea capaz de llevar a los indios, aunque sea, un poco de la luz; algo de la buena nueva que tú derrochas en esta nave.

—Eres demasiado generoso conmigo. Todos hacemos nuestra parte —sonrió María y agregó con voz apenas audible—: daría cualquier cosa por un rato a solas con él.

—Estás loca, María de Sanabria, pero no puede ser sino Dios quien ilumina de tal modo tu rostro —se persignó fray Agustín y quedó mirando la lejanía como si se hubiera olvidado de la conversación.

Tras la pausa de quien está pensando lo que va a decir, repitió:

—Estás loca, pero si Dios nos lleva a detenernos en la costa de África, te ayudaré.

—Ganas de besarte tengo —rió María por lo bajo.

—¡María!

—El beso de una hermana —sonrió María y agregó con seriedad—: no puede ser engaño del Maligno la luz que hay en nuestras intenciones —negando con un movimiento de cabeza y a continuación, persignándose.

—Depende a que parte de nuestros propósitos te refieras —matizó el religioso.

—Acepto —rió María y ambos se dieron a contemplar las huellas que las nubes dibujaban en el atardecer, el agua hendida por la quilla; la alargada sombra de los mástiles en la mar.

El inquietante viento torció el rumbo de las naves siete días más. Cuando amainó las había dejado cual diminuta mosca en la gigantesca telaraña del golfo de Guinea. Rezar por el fin de la destructora calma pasó a ser la única ocupación con posibilidades de ser útil. Salazar decidió que las tres naves detenidas se acercaran, como si la providencia fuera a prestar más atención a la desgracia de muchos. Salvar mil pasos en el quieto mar solo fue posible a fatigoso golpe de remo, a agotador remolque desde el batel. En dos jornadas de sudor se juntaron tanto como para hablar sin estrépito de cubierta a cubierta; como para que desde la trinidad de inmóviles navíos se pudiera celebrar misa y escuchar el sermón de un único fraile.

El incandescente sol amenazaba; el agua se volvía pestilente y el alimento se pudría. El ocio irritaba, las velas fláccidas desesperaban y al fondo serpenteaba la amenazadora línea de la costa. Tal vez desde alguna de sus ensenadas ya los estuviera acechando implacable corsario; quizás estuvieran siendo escudriñados por catalejos ávidos de presa. Nadie ignoraba que en la orilla podían esconderse hombres regocijados por una espera de la que no podían salir perdedores; fieras que aguardaban en la comodidad de la costa que se levantara la calma para perseguirlos con el mismo viento y mejores velas.

La inactividad mitigó la necesidad de alimento, pero el espeso calor del trópico mantuvo en alto el deseo de beber. La necesidad de renovar el agua dulce se presentó como si viniera a satisfacer los deseos de María.

Al caer las sombras protectoras, el bote debía dirigirse a la costa. Era indispensable que llegara a la orilla antes del alba para evitar ser visto por corsarios o indígenas que pudieran estar acechando. Imperiosamente los barriles de agua debían llenarse al abrigo de la floresta. Necesariamente debían aguardar hasta la noche siguiente para volver. Salazar designó seis robustos remeros y para su custodia al alemán y a otro arcabucero.

Con paso presuroso y voz deliberadamente recia, fray Agustín rogó a doña Mencía:

—No hemos de pasar en vano por esta tierra. Por Dios que has de permitirme que vaya y deje una santa cruz. Por el Emperador tal vez convenga que dejes mojón con tus armas en este sitio al que la providencia nos ha llamado.

Mencía no entendió el alcance del pedido y vaciló. Al momento dijo:

—En lo primero mi permiso tienes, si el capitán no tiene reparo. En lo segundo...

—Si no deseas ir, seguramente María querrá hacerlo en tu lugar.

—¿Y el peligro?

—¿El peligro? —sonrió fray Agustín—. Solo las almas corren verdadero peligro —aseveró y cuestionó—: ¿qué peligro puede haber en la breve distracción de ir a tierra, mayor que el de quedar a bordo?

—¿Y los corsarios? —se alarmó Mencía—: ¿Por qué entonces dos hombres de armas?

Fray Agustín sonrió y sin perder la cortesía aseguró:

—Verdaderamente expuestas estarán las naves cuando empiece a soplar el viento, pero no hay grandes enemigos para un invisible batel amparado por las sombras. Los arcabuceros van por si alguna fiera o por si pudieren traernos algo de carne fresca.

—Que quieres ir y quieres que vaya María —sintetizó Mencía.

—Que pido tu permiso —concilió fray Agustín.

—Algo ocurre que no me cuentas, pero concedido —sonrió Mencía—. Ah —agregó— siempre que el capitán no se oponga.

Esperaron para embarcar en el pequeño bote a que la última luz de la tarde se hubiera apagado. María deseó en vano conciliar el sueño durante buena parte de la travesía. Ya muy tarde arrullada por el monótono golpe de los remos se sumió en un sueño inquieto de placer. Despertó al alba dentro de la maraña protectora que flanqueaba una pequeña ría. Los arcabuceros exploraron el tranquilo alrededor e indicaron un claro que parecía seguro. El religioso clavó la cruz que tenía preparada y los extenuados remeros se tumbaron a su amparo. Uno de los hombres de armas quedó para guardar el sueño de los que habían bogado la noche entera y Staden se alejó buscando caza. María le perdió de vista como quien por primera vez despide al amado. Oyó con el pecho oprimido el más pequeño ruido que indicara peligro y cuando ya nada escuchó, se sentó a aguardar como quien teme una desgracia. Llena de ganas de llorar sintió al fin pasos de esperanza y vio que Staden se aproximaba arrastrando una pieza. El arcabucero sonrió y calló, respetuoso del sueño de los hombres fatigados. Señaló que había flechado más e indicó que le acompañaran a buscar. Fueron y vinieron acompañados por enjambres de moscas hasta cargar la abundante carne. Con sonrisa y sin disimulo, fray Agustín se declaró cansado y afirmó que se quedaba para custodia del recién cazado botín.

Staden le agradeció con una inclinación de cabeza y reclamó a María que le aguardara. Atravesó la pequeña ría y por unos minutos se perdió de vista. Regresó, la alzó en brazos para cruzar el suave curso de agua, la depositó en la otra orilla y la llevó hacia el sitio que acababa de explorar. En el camino se detuvo bruscamente, pidió silencio llevando el índice en ademán de sellar los labios y escrutó los sonidos y olores que le traía el aire.

—Nada, nada... me había parecido. Es que es de locos bajar así la guardia en una costa que no conocemos —se justificó.

María sonrió, se abrazó a su cuello, lo besó y preguntó: —¿no lo has recorrido todo mientras cazabas?

—Sí —murmuró dubitativo Staden correspondiendo al abrazo.

María se soltó, le tomó de la mano y lo condujo hasta un costado del claro. Lo apretó contra un grueso tronco y volvió a besarlo dejando que su cuerpo descansara contra el del arcabucero. Staden depositó al alcance de la diestra la ballesta armada y cargada, sujetó a María por la cintura y la atrajo más aún hacia sí. Alternativamente la besó y apartó su rostro para contemplarla y sonreír fascinado. Luego, como si nada pesara, volvió a tomarla en brazos, la tumbó y se acostó sobre ella sin oprimirla. Con los ojos entrecerrados se habían abandonado sin reservas a lo que sentían y hacían sentir cuando un relámpago electrizó los músculos de Staden.

El arcabucero saltó, se abalanzó sobre la ballesta, se guareció tras un tronco y aguardó decidido a disparar. Antes que María consiguiera comprender ni preguntar, Staden negó moviendo la cabeza de un lado a otro mientras murmuraba:

—He vuelto a engañarme; los sonidos garantizan que el bosque está tranquilo. Como avergonzado, volvió donde María permanecía tumbada y semidesnuda. La besó, volvió a tumbarse sobre ella y al poco seguía como si nada hubiera interrumpido. María sofocó el disgusto y puso todas sus fuerzas en volver a amar, pero lo único que consiguió fue una sensación vaga de deber cumplido.

Se mantuvo acostada junto a Staden pero con la mente muy lejos. Apenas creyó llegada la oportunidad, sugirió la necesidad de no alarmar a fray Agustín y propició la vuelta al bote.

—Es claro —se repitió María— que él no ha notado lo que ha salido mal. Es evidente —se dijo muchas veces para el propio consuelo— que la próxima será mejor.

Pero las muchas seguridades que se dio a sí misma no le permitieron aventar la tristeza. Recibió con alivio la noche protectora que les permitió iniciar el regreso.

—Esperar —suspiró— por una nueva oportunidad. Aguardar y no dejarme llevar por sombríos presentimientos —se exigió, mientras el batel se alejaba de la orilla.

Cuando al amanecer fueron recibidos como héroes se esforzó por disfrutar con todos. Los días siguientes se obligó a compartir el regocijo por el poco alimento fresco y la abundante agua sabrosa que atenuaban el daño de la prolongación de la calma.

María suspiró junto a todos el atardecer en que al fin cambiaron los colores del crepúsculo. Con ilusión pero como si hubiera dejado algo en la costa de Guinea, se fue a descansar confiando en el buen viento de la madrugada siguiente. Al alba parecía que un milagro hubiera devuelto la vida a las velas henchidas. El precioso tiempo de volver a navegar viento de popa fue rasgado por angustioso anuncio desde la cofa.

—¡Velas cerca de la costa! —gritó el vigía y todos supieron quién era la presa.

No hubo quien cesara de persignarse, aunque hasta media mañana no fue claro quien ganaría la carrera. Cuando los rayos del sol caían en vertical era indudable que el cazador acortaba distancia. Cuando todavía había tres horas de luz, el corsario había maniobrado y ya los había acorralado entre el propio barco y tierra.

—Ya no escaparemos —llamó el capitán Salazar a doña Mencía para comunicarle—. Como muy tarde mañana al alba nos abordarán. La velocidad de su nave, el número de su gente de guerra, el alcance de sus cañones hace que estemos perdidos. Seremos presa de los herejes franceses —evaluó como si hablara de un asunto en el que estuviera escasamente involucrado.

—¿Perdidos? —inquirió con angustia Mencía.

—Perdidos sin remedio —afirmó con neutralidad Salazar—. De nada nos valdrá que hoy haya paz con el rey de Francia. Quería de cualquier modo consultarla sobre el partido que desea tomar.

—¿Hay entonces alguna solución?

—No; solo se trata de elegir el modo de perder.

Mencía se mantuvo cabizbaja unos momentos hasta que con dulzura agregó:

—No nos engañemos, capitán. Vuestra Merced y yo sabemos que quien decide por mí es mi hija María. El enemigo se acerca: ¿por qué no habláis directamente con ella? —reclamó.

—No veo que haya nada que hablar, pero si así lo queréis —concedió.

María entró con premura mientras Mencía abandonaba la minúscula cámara diciendo que prefería que se entendieran a solas.

—La situación está perdida —volvió a informar Salazar—. Podemos intentar escapar en las dos carabelas mientras saquean esta nave, pero no resultará. No hay en las embarcaciones menores agua para tanta gente y solo conseguiremos perecer de sed. Podemos dar las naves contra la costa para que allí nos maten las enfermedades, los nativos, las fieras y el abandono.

—¿Y pelear?

—Pelear —sonrió Salazar—. No es que su gente de guerra multiplique la nuestra; no es que sus cañones dupliquen los nuestros. Es un problema de alcance —explicó como quien enseña un problema de lógica—. Sus cañones alcanzan el doble de distancia que el más grueso de los nuestros. Se limitarán a barrernos con metralla y cuando nadie quede serán igualmente dueños de las naves.

—¿Qué alternativa entonces? —se impacientó María.

—Entregar todo y salvar a cambio los barcos y la vida de nuestra gente.

—¿Quién garantiza que cumplirán un acuerdo?

—Los acuerdos en la mar se sellan con rehenes. No querrán arriesgar a perder ni uno de los suyos por el flaco placer de darnos muerte... excepto...

—¿Excepto?

—No creerán que vamos sin religioso. No valdrá disfrazarlo. Tal vez los malditos franceses hugonotes no acepten dejarlo con vida.

—¿Pretende Vuestra Merced entregar a fray Agustín? —gritó incrédula María.

—Trataré de impedirlo, pero él conocía los riesgos cuando embarcó.

—No aceptaré.

—No se trata —explicó paciente Salazar —de aceptar o no.

—María le dirigió una mirada homicida pero en el momento que iba a replicar consideró que era mejor no malgastar el tiempo y ordenó:

—¡Continuad!

—Tampoco podremos proteger a las mujeres.

—¿Qué? —bramó María.

—No sacrificarán hombres por el placer de matarnos. En cambio, me juego la cabeza que por las mujeres, no habrá entre ellos quien no quiera exponerse a la escasa metralla con la que podemos contestar. Apenas podré mantener a vuestra madre, vuestra hermana y a vos a resguardo.

—¿Para eso habéis venido, capitán? —preguntó con desprecio María.

—Para llevar los navíos al Río de la Plata —contestó Salazar como si hablara con alguien que no fuere capaz de entender cosas elementales.

—¡No!

—¿Qué haréis? —inquirió Salazar dejando entrever alguna tristeza—. Ahora si me disculpáis —se excusó con cortesía— he de dar las órdenes. Además —añadió antes de dirigirse a arriar el pabellón— os equivocáis creyendo que estos hombres me obedecerán si les mando combatir. En un instante tendrían mi cabeza en sus manos y correrían a llevarla al corsario en prueba de amistad. Los matarían, se quedarían con los barcos y con todas vosotras.

Con ademán de quien no puede perder más tiempo miró a María, murmuró:

—Admiro vuestro valor —y se alejó a impartir órdenes.

Durante unos instantes María no supo reaccionar. Le parecía inconcebible que aquello acabara así, pero la sacó de la parálisis el peligro que pesaba sobre fray Agustín y la imagen de las mujeres de su hueste forzadas. Voló hasta la banda de estribor donde Staden observaba las evoluciones del enemigo. Lo tomó del brazo y lo llevó imperiosamente a un rincón:

—Ayúdame —pidió angustiada—, que el capitán no quiere resistir.

—¿Qué quieres que haga? —preguntó sorprendido el arcabucero.

—¿Cómo voy a saberlo yo? —replicó María con mayor sorpresa aún.

—Soy tu esclavo, pero mira sus cañones, observa su gente en cubierta —indicó mientras le alcanzaba su catalejo—. Loco estaría el capitán si pretendiera resistir.

—¿Y si quieren arrojar al mar a fray Agustín?

—¿Está en mis manos evitarlo?

—¡A ti vine implorando auxilio! —exclamó colérica María.

—Cálmate —intentó explicar el arcabucero.

—¿Que me calme? —bramó María—. ¡Algo debemos hacer!

—Resistes o te entregas. Esa es la ley del mar. Si resistes te matan; si te entregas te dejan vivir.

—¿Dejarías que esos herejes protestantes asesinen a fray Agustín; presenciarías como fuerzan a las mujeres sin hacer nada?

—Dime hacer qué.

—¡Tú tendrías que saberlo!

—No lo sé.

—Prefiero morir antes que aceptarlo.

—Lo dices ahora porque no has visto la muerte de cerca.

—¡Moriré! —aseguró María llena de rabia.

—¿Crees que los demás quieren morir?

—¡Qué me importa lo que prefieran quienes carecen de honor!

—Soy tu esclavo y haré lo que digas, pero me matarán por ello y seguramente pasarán a cuchillo a muchos otros.

—¡Gracias; puedes quedarte a contemplar el espectáculo, a verlos violar a las mujeres!

—Mañana lo preferirán a estar muertas.

—¡Me mezclaré con ellas; correré la misma suerte!

—¡Estás loca! ¿Es qué no quieres la vida?

—¡Estás ciego! ¿No ves que no hay vida sin lealtad, honor y gloria? —replicó María, giró sobre sus talones y se marchó como quien tiene urgentes asuntos que resolver.

Vio que fray Agustín rezaba. Dudó un instante y cuando se acercó a interrumpirle vio que junto a él se había arrodillado el hombre que había reconocido y amenazado denunciar a Juana. Le escuchó pedir:

—Fray Agustín, os lo ruego. Permitid que me cubra con vuestras ropas, que les haga creer que yo soy el religioso. Puedo hacerlo; cuando estén lo bastante cerca como para verme, escaparé hacia tierra. No me alcanzarán y si la mar me deja llegar, tengo una posibilidad. Y si Dios no lo quiere me tendrá en cuenta lo hecho por uno de sus ministros.

—No puedo aceptarlo, pero mucho me consuela lo que ofreces.

—¡Es preciso! —insistió el otro—. Vuestra Reverencia es esencial para todos.

—Todos somos esenciales y nadie lo es. Dios no pondrá sobre mí una cruz más pesada que la que puedo cargar —afirmó con dulzura y agregó: —tu oferta ha sido tan grande que seguro que ya ha llegado al cielo —aseguró el religioso.

Luego lo miró a los ojos, puso las manos sobre sus hombros, lo besó en la frente y pidió:

—Ahora vete, que debo prepararme.

María se detuvo un instante mientras el marinero se alejaba: —¡pensar que sugerí asesinar a este hombre solo por evitar la posibilidad de una denuncia contra Juana! —se estremeció recordando. Encaró a fray Agustín y exigió:

—¡Ni pienses en que debes prepararte!

—Tengo mis sentidos en el más allá: ¿por qué me distraes con esperanzas de salvación en este reino? —sonrió con angustia.

—¡No dejaré que te maten!

—¿Cómo? —preguntó fray Agustín y en su voz hubo un timbre de esperanza.

—Todavía no lo sé, pero no permitiré.

—Gracias, querida amiga —murmuró fray Agustín en el tono de un hombre resignado a la propia muerte.

—¡Pelearé!

—Estás loca.

—¡Dios no nos ha hecho para vivir como bestias!

—Labrarás tu desgracia y la de todos.

—¿Es que no lo entiendes? ¡Esa desgracia ya está labrada: despierta! —exigió María.

—En manos de Dios me he puesto.

—¿En manos de herejes franceses dejas a todas estas mujeres? —agredió María.

—¿Qué podré yo hacer, excepto aceptar mi cruz?

—¡Veo que te resulta más cómodo morir para no sentir como los cerdos protestantes gozan con Josefa!

—¡Déjame morir en paz!

—¡Pelea!

Fray Agustín se irguió, alzó el puño derecho para golpear a María, fue a descargarlo y lo desvió para darlo contra la palma de su mano izquierda.

—¡Pelearía! ¿Pero cómo?

Llevada por súbita inspiración María le urgió:

—Reúne a todas las mujeres y llévalas bajo cubierta. Usa toda tu persuasión para que estén tranquilas, quietas y en absoluto silencio. Que todas se preparen por si fuere preciso morir. ¡Confía en mí! ¡Ganaremos! —prometió.

Mientras el religioso salía disparado a cumplir lo que se le había encargado, María recorrió la nave buscando cuantas lámparas de aceite había. Se proveyó de yesca y chispa y bajó a dejarlas en bodega. Regresó corriendo a cubierta para encontrar a Salazar y exponerle su plan. El capitán ladeó la cabeza como quien está muy sorprendido y antes que pudiera contestar María afirmó:

—De lo contrario no quedará nadie para contarlo.

Salazar esbozó una sonrisa que no llegó a aflorar y aprobó:

—Hay una posibilidad entre cien, pero puede funcionar.

El corsario se acercó lo bastante como para poder herir con sus cañones y arrió velas antes de ingresar al espacio en el que podía ser alcanzado. De su costado se desprendió un bote que pronto estuvo junto a la presa. Los remeros llegaron buscando las palabras de rendición, pero sabiendo que si algo salía mal de nada les serviría que sus compañeros les vengaran.

—Dile a tu capitán —ordenó Salazar al que venía al mando— que le entregaremos todo objeto de valor que quiera llevarse de las tres naves. Dile también que si no tengo garantías por la vida de mi gente, lucharé. Dile —agregó para evidente alivio de los remeros— que no aceptaré rehenes sacados de entre gente baja como vosotros, que podría estar tentado a sacrificar. Dile que podrá llevarse nuestras riquezas sin derramar una gota de sangre, pero que me iré a pique con ellas si no me ofrece como garantía a su segundo, a su piloto y a un oficial.

Los remeros volvieron al corsario con el mensaje.

—Cuando lleguen y en los minutos siguientes —vaticinó Salazar—, sabremos si viviremos o moriremos. Prefiero —se despidió con una sonrisa de las mujeres refugiadas en la bodega— esperar el cañonazo o los rehenes; la vida o la muerte en cubierta.

María lo siguió con la mirada mientras se apresuraba a regresar a su puesto de mando. Se distrajo observando el caudal de vida que el peligro devolvía a aquel hombre. Al instante volvió a gastar toda su atención en mantener calmas y silenciosas a las mujeres.

—Gracias a Dios —se asomó un rato más tarde Salazar —. Gracias a Dios —volvió a decir—. Iré a recibir a los rehenes —confirmó.

El segundo de a bordo, el piloto y el oficial del corsario treparon con facilidad por la escala. Salazar los saludó con gesto militar, los llevó a la otra banda de la nave y les comunicó:

—Señores; lo que vais a encontrar os sorprenderá, pero no pretende ser una amenaza a vuestras vidas.

Los tres intercambiaron miradas de miedo y curiosidad mientras Salazar les invitaba con un gesto a que le acompañaran a la bodega. Encontraron la penumbra rota por dos docenas de pequeñas lámparas de aceite encendidas. Mudos de asombro, descubrieron bajo esa luz, el brillo de un centenar de ojos femeninos. El segundo de abordo preguntó:

—¿Qué significa?

—Que hemos jurado perder la vida antes que el honor —contestó una voz de mujer.

El corsario miró a Salazar, quien confirmó:

—Efectivamente, muchas damas viajan en esta nave. Tal como dije estamos dispuestos a entregarles cuanta riqueza puedan llevar y si no... —interrumpió la frase señalando las lámparas que formaban un anillo lleno de puntos de fuego en torno a la santabárbara.

Los tres corsarios intercambiaron miradas de inquietud. El piloto inquirió:

—¿Cree Vuestra Merced que hay capitán capaz de controlar a sus hombres cuando huelen hembras en la mar?

—Es vuestra y nuestra única posibilidad, Señores —agregó hablando exclusivamente para el piloto y segundo de a bordo:

—Debo dejarlos en tan grata compañía si estáis de acuerdo en que el señor —señaló al oficial— es adecuado emisario ante vuestro capitán.

Los aludidos asintieron lúgubres y Salazar continuó, esta vez dirigiéndose al oficial:

—Deberá Vuestra Merced convencer a vuestro capitán de la conveniencia de un saqueo ordenado. Deberá Vuestra Merced asegurarle que aunque la determinación de una de estas mujeres flaquee, hay cincuenta dispuestas a pegar fuego a la pólvora. Le dirá que puede Vuestra Merced y otros dos oficiales venir a bordo y señalar cuanto quieren llevar, pero serán nuestros hombres quienes lo cargarán en vuestro batel. Tendrá que persuadirle, porque de lo contrario se quedará sin estos dos hombres y sin las riquezas que ya ha ganado sin luchar.

Salazar siguió con la mirada la maniobra del bote que regresaba a la nave corsaria. Distinguió con su catalejo al capitán enemigo aguardando en la banda de babor a su oficial. Adivinó las preguntas a gritos y la mesura de la respuesta del oficial. Suspiró con alivio cuando vio que el hombre que llevaba la propuesta de rendición y el capitán se retiraban a hablar en privado. Volvió a suspirar con alivio cuando el movimiento en cubierta hizo evidente que se pondría nuevamente en funcionamiento el batel y que los cañones permanecerían silenciosos. Recibió, tal como había concedido y exigido, tres oficiales que registraron meticulosamente la carga. Durante las setenta y dos horas siguientes ardieron las lámparas en torno a la santabárbara. Cuanta vez los enemigos se acercaron a revisar y pillar lo que había de valor, la llama se acercó a la pólvora. Absolutamente dispuesta a no entregarse, María no pegó ojo temiendo que el ánimo de todas las demás flaqueara. Sin soltar la propia lámpara, se desvivió atendiendo, acariciando, alentando, tranquilizando a las suyas. Repartió bendiciones, pan y agua con la diestra, mientras la llama se mecía al compás de la otra mano. Anduvo en pie en las muletas que le proporcionaban el miedo de su hermana, la abnegación de su madre, la compañía de Juana, Justa y Josefa, el valor ingenuo de fray Agustín. Se sostuvo por la obligación que sentía hacia las mujeres con las que compartía la bodega.

Entretanto los corsarios trasladaban a la propia nave hasta la última joya, todas las telas de valor y los pocos objetos de oro que encontraron. No se llevaron sin embargo, la mercancía esencial para negociar en Indias. No les interesó cargarse en exceso con pesados artículos de hierro que en todo caso, poco valían en los puertos de Europa.

Tres jornadas bastaron al corsario para llevar cuanto podía estibar en el propio barco. Durante la cuarta, las víctimas se alejaron a toda vela y dejaron a popa el tenaz miedo. Los rehenes fueron liberados en un bote con agua y comida suficiente para aguardar que los recogieran. Las mujeres tornaron a respirar la brisa de cubierta. Todo era suave celebración como cuando se ha salvado una parte de lo que se daba por perdido.

María no se alegró por el regreso de un valor que no la había abandonado ni se regocijó por salvar unos bienes que no le importaban. Fingió enfermedad y no celebró el fin del encierro ni la misa que congregó a todos.

Sintió infinita pena por las mujeres con las que había compartido la bodega. Incluso lamentó la suerte de los que permanecieron temblorosos en cubierta. Pero sobre todo se dolió de la propia fortuna. Se preguntó, pero sin interés, si entre los corsarios habría alguno con más deseo de ofrendar la vida por ella que el arcabucero.

—Por mí —se decía—, habría pegado fuego mil veces al polvorín de este barco maldito. He muerto antes de mi primera pelea —murmuraba sin esperanza—. Por mí tanto da que el agua nos alcance para llegar a las Indias o que perezcamos desesperados en la mar. Pero —quiso infundirse ánimo— juré ser capitán de mi hueste y a buen puerto he de llevarla.

VIII

La nave y las dos carabelas se alejaron de los corsarios durante diez jornadas de tenue viento. En la tarde del undécimo día, Salazar bajó a informar a María que había resuelto ahorcar un hombre. Afirmó que la soga que pendía del palo mayor serviría para ello y para amedrentar a los revoltosos. Se adelantó a contestar lo que le pareció que la joven iba a preguntarle y explicó:

—Apuñaló a otro con el que estaba jugando a los dados. No es imposible que la víctima estuviera haciendo trampa, pero no tuvo tiempo ni de alzar las manos para defenderse —comentó el capitán.

Mientras, señaló con un movimiento de cabeza el sitio del que provenía el grito que pedía clemencia.

—He preguntado a doña Mencía y una vez más ella ha respondido que os consulte. Será al amanecer, a menos que queráis evitarlo —continuó Salazar, cuya actitud hacia María mostraba huellas del encuentro con los corsarios. Agregó—: indultarlo nos expone a más peleas; a nuevas muertes. Este es de los hombres que hace diez días temblaba de miedo —sonrió con desprecio—. Es la clase de gente que una semana atrás nos agradecían haberles librado con tan poca pérdida de los corsarios. Y es de los que ahora

—volvió a sonreír con desprecio— murmuran que alguien debe compensarles por cuanto les robaron.

—Haga Vuestra Merced lo que le parezca.

—Una vez que lo anuncie no podré volver atrás. Tenga en cuenta que cuando haya hecho señales para ordenar a las dos carabelas que se acerquen a presenciar la ejecución, no podré interrumpirla sin menoscabo de mi autoridad —quiso asegurarse Salazar.

—Lo que a Vuestra Merced le parezca —confirmó indiferente, pero la voz del instinto le hizo preguntar—: ¿quién es?

—Lo que a Vuestra Merced le parezca —volvió a confirmar María, al oír el nombre de alguien que no conocía.

Cuando Salazar se marchó volvió a tumbarse. Antes de dormir se reprochó con tristeza que ni siquiera había averiguado si colgarían a un viejo o a un chico; si a uno que tenía hijos que alimentar; o si dejaba a alguien que le llorara.

Despertó poco rato después, agitada porque la propia pesadilla se había mezclado con las voces de súplica del condenado. Salió a cubierta, encontró al capitán y preguntó si podía darle aguardiente al infeliz. Salazar murmuró que se perdería parte de lo ejemplarizante; que el condenado alcoholizado se callaría y dejaría dormir a la tripulación, pero luego de dudarlo, afirmó:

—Entre lo que ha habido y lo que habrá será suficiente —y accedió.

El alcohol ahogó la conciencia del que esperaba su último amanecer. Tornó sus gritos en un gimoteo continuo y tan tenue que los sonidos del barco en la mar lo cubrieron. La calma de la hora del sueño se hizo a bordo. María quedó apoyada en la baranda de popa al amparo de la frágil sensación de paz. Miró las estrellas, miró en dirección a las islas Canarias y encontró tan lejos unas como otras. Evocó la sonrisa de Cabeza de Vaca cuando empezaba a hacerse posible la expedición y se dijo:

—Persistes, María; no aprendes más: te empecinas en creer en algunos hombres.

Sin percibirlo, sintiéndose el único ser vivo y despierto en la inmensidad, había hablado consigo en un tono tan alto que su propia voz la sobresaltó.

—Oigo —escuchó a sus espaldas y volvió a sobresaltarse— que tú tampoco duermes —susurró fray Agustín, que avanzó hasta situarse a su lado.

—Nada he hecho por salvar al que en unas horas será ahorcado.

—Nada he podido hacer para que se prepare para morir.

—¡Qué fracasos los nuestros! —sonrió María con amarga dulzura.

—Amiga mía —observó como si le hubiera contagiado la paz del firmamento—: nosotros somos instrumentos del Señor: ¿acaso debemos reprocharnos que otros no hagan por sí, lo que nadie más puede hacer por ellos?

—¿Qué quieres decir?

—Que cuanto has hecho es grandioso y solo alguien cegado por la soberbia no lo vería.

—¿Esa soy yo?

—En buena parte sí.

—¿En qué sí?

—Has demostrado poder mucho más que el resto de los mortales, pero no tienes paz con lo que solo Dios puede.

—Mucho más —sonrió con amargura María—. Ni siquiera conseguí su ayuda para combatir.

—Su ayuda hubiera sido tu muerte.

—¿No he muerto ya?

Fray Agustín la abrazó con la mirada. Luego permanecieron en silencio, contemplando los puntos luminosos de la negra bóveda. El religioso aspiró profundamente el aire salino y aseguró—. Gracias a Dios que no has muerto; no le culpes por haber estado del lado de la vida.

—Ni siquiera le culpo —murmuró María—. Pero ya no puedo reconocer en él al que creí conocer en Canarias.

—Pobre amiga mía —bromeó protector Fray Agustín y auguró—: ahora te levantarás porque toda esta gente depende de tí; mañana lo harás porque por gloria y maravilla de Dios volverás a amar la vida.

Sin más palabras permanecieron muy cerca, mirando el agua, el firmamento y el tiempo que la nave dejaba atrás. La noche avanzó y un grito de terror se propagó mezclado con la primera luz del alba. El miedo había devuelto la conciencia del inminente fin al condenado; la tenue claridad le había mostrado la sombra de la soga que pintaba y despintaba una raya oscura sobre cubierta.

Las naves se reunieron y fueron otras tantas plateas. Dos robustos hombres acercaron al condenado al palo mayor. La noche de miedo había vuelto blanco su pelo, ceniza su piel. La agonía había distorsionado sus rasgos, robado la energía de sus brazos y piernas. No se resistió porque no le quedaba fuerza alguna; no gritó porque desde dentro de la pesadilla no le fue posible; no se confesó ni comulgó porque palabras, ritos e ideas estaban de un lado que él ya había abandonado. Apenas lanzó una mirada de animalillo asustado cuando le pusieron el lazo al cuello y no él, sino su instinto, hizo que se contorsionara desde que el primer golpe de la cuerda le partió el cuello, hasta mucho más tarde de haber sido izado hacia lo alto del palo mayor.

Bajaron el cadáver, se celebró un oficio religioso y se pidió por el alma de la víctima del cuchillo y por la del ahorcado. Luego, los dos cuerpos fueron enviados donde quisiera llevarlos la bala de cañón con la que se les entregó al agua salada. Acto seguido, a la potente voz de los tres capitanes, la nave y las dos carabelas izaron velas y volvieron a surcar el mar buscando el poniente.

"No he tenido ni un momento de duda", se reprochó María. "Ni por un momento me asaltó la tentación de ayudar a ese desgraciado. Ni una sola vez me importó la vida o la muerte. No me estremecí con sus gritos de terror ni me conmovió su sufrimiento. Antes más bien me molestó que perturbara la noche y destruyera la quietud con sus súplicas. No le tuve lástima cuando lo iban a izar ni pena cuando ya estaba muerto. Todo mi pesar se redujo a la obligación de presenciar un desagradable espectáculo. Al hormigueo interior que causan la contorsiones de un cuerpo estrangulado quebrando la tranquilidad del aire. Eso es todo", murmuró para sí María antes de abandonar su puesto en cubierta y buscar su sitio para volver a tumbarse.

Los días que siguieron se propuso estar más activa. Se esforzó por atender las crecientes demandas de las mujeres que empezaban a exhibir la enfermedad y el hastío de quien está mucho tiempo a merced de las olas. Sin embargo, pronto se sintió impotente para controlar su falta de energía. Volvió a permanecer cuanto tiempo le fue posible tumbada y a buscar las silenciosas horas de la alta noche para ocupar un lugar contra la baranda de popa. Desde allí pasaba horas mirando hacia Sevilla, hacia las Canarias, hacia la costa donde los corsarios estarían aguardando nueva presa. Permanecía muda mirando hacia atrás; ciega y sorda a la grosería contra las mujeres que había renacido y proliferado. De ese modo vivía sin fuerza para abrir los sentidos al día en que vivía y menos a la tormenta que se insinuaba en el horizonte. Indiferente se mantuvo a la creciente certeza de que con el agua disponible, ya no alcanzarían el Brasil. Tampoco percibió lo que Juana, Justa y Josefa, creyéndola enferma, se esforzaron en ocultarle hasta que la situación se volvió intolerable. Cuando empezaron a exigir su atención las atendió con desgano, como quien soporta informes que no le conciernen.

—No quieres ver lo que nos está ocurriendo. Si tú no nos defiendes lo haré yo —amenazaba Juana luchando por contener la violencia que pugnaba por estallar en ella.

Día tras día, María respondía con desinterés que la jornada siguiente se ocuparía, y volvía a abandonarse a sus propios pensamientos.

Cuando ya no pudo más, Juana se dirigió a ella como quien se abalanza sobre una presa. La sujetó por los hombros y con apreciable violencia la sacudió.

María se volvió y respondió con un destello de furia en la mirada, pero un instante más tarde preguntó como si acabara de desembarcar en un país extraño:

—¿Qué ocurre?

—¡Todo te ocultan como a una pobrecita incapaz! —insultó Juana—. ¡No sabes lo que está ocurriendo! —afirmó—. Los cerdos ya no se contentan con insultarnos. Cada vez que quieren nos sujetan y nos manosean. ¡Justa se ha librado cuando ya la tenían medio desnuda y eso no lo voy a tolerar! Es fácil: te pillan entre varios, te tapan la boca, te llevan a tal o cual de las cámaras que han improvisado en cubierta. Algún palo del capitán ha evitado que continúen; alguna ayuda de uno u otro hombre más decente ha cooperado con que alguna escapara. El arcabucero con el que parecías entenderte bien nos ha salvado en más de una ocasión.

—¡Qué dices! —interrumpió María colérica.

—¡Que te enteres, niña; despierta!

—¡Cómo te atreves!

—¡Y me atrevo a decir que si tú no haces lo que debes, lo haré yo!

María la observó con la mirada incendiada de ira y salió para increpar al capitán. Sin ironía, Salazar observó:

—Celebro verla repuesta.

—¡No he venido a entretenerme en conversar con Vuestra Merced!

—Estos hombres —empezó diciendo el capitán.

—¡Hombres les llama Vuestra Merced; cerdos son!

—Como queráis —replicó suavemente Salazar y continuó—: estos individuos dicen que si no hay quien pague lo que los corsarios les han robado, al menos se divertirán. Si ahorco a uno habrá motín. Tal vez encontremos tierra pronto y eso nos permita evitar males mayores.

—¡De qué tierra habla Vuestra Merced!

—Debierais saber que con el agua disponible no llegaremos al Brasil. Algunos hombres dicen que han estado en esta latitud en islas de portugueses. El piloto no las tiene marcadas en su mapa, pero me fío de los marineros. Es nuestra esperanza.

—¡Contenga Vuestra Merced a esos cerdos!

—¿No veis que estoy tan desarmado que ni siquiera puedo racionar el agua?

—¡Si Vuestra Merced no hace nada lo haré yo!

—¿Que quiere que haga que no sea para empeorar lo mal que ya está todo?

—¡Amárrelos; azótelos; sométalos a tormento; ahórquelos!

—En ese caso habrá motín —aseguró Salazar con la misma entonación de quien predice la dirección del viento que soplará más tarde—. Siendo optimista —continuó mientras hacía como que contaba con los dedos de la mano—, habrá diez hombres dispuestos a morir conmigo. Y cuando los amotinados hayan traspuesto la línea de matar a su capitán serán hombres perdidos y ya no habrá nada que los detenga. Por favor, doña María —pidió Salazar—, deteneos y mirad las consecuencias. Pensad en vuestra madre; pensad en vuestra hermana.

María lo miró con furia, apretó los dientes para evitar que se le escapara gritarle: ¡inútil! Giró y se fue sin saludar. Al salir Staden la tomó del brazo, hizo que lo acompañara hacia un costado de la nave y aseguró:

—He oído. Te ayudaré.

—Gracias —contestó María se soltó y empezó a marcharse.

—Espera.

—¿Esperar qué?

—Me arriesgué; me arriesgaré; haré todo lo que quieras.

—Gracias —volvió a decir María y nuevamente hizo el ademán de irse.

—Aguarda, por favor. Pide que los mate aunque me ahorquen luego; pide que me tire al mar. Pide lo que sea.

María se detuvo a mirarlo como si sintiera curiosidad. Sonrió al mismo tiempo que unas diminutas arrugas se insinuaban en su frente y contestó, como si soltara una conversación que su interior había trabajado cuidadosamente:

—No te culpo; no me culpes. Tuvimos una oportunidad y tú elegiste la vida y yo la gloria. La fortuna jamás ofrece dos veces una oportunidad como ésa. ¡Nunca más! —enfatizó María y pidió—. No te culpes; no me culpo, pero no vuelvas a mí. ¡Nunca más vuelvas a hablarme hasta que yo tenga paz!

Staden quedó contra la banda de estribor tan falto de aliento como si se meciera colgado del palo mayor. No se movió, no intentó retenerla y cuando María se alejó dio media vuelta y quedó absorto como si lo único que le importara fuera la contemplación de las lejanas ondas del mar.

María recorrió con prisa la cubierta en uno y otro sentido como quien inspecciona para volver a hacerse cargo de la situación. Descartó mil maneras de poner fin al acoso que sufrían las mujeres tan pronto como las analizaba.

"Nada detendrá a estos cerdos excepto el miedo", se dijo."No tengo autoridad para castigar y con el débil de Salazar no se puede contar. Y para que un castigo sea ejemplar, tiene que ser público y tampoco está en mis manos. Claro que puedo hacer caer al mar al peor, pero si parece un accidente no servirá; si declaro que lo hice o mandé hacer, habré quebrado el último hilo de disciplina que mantiene el poder de Salazar. Le exigirán que cuelgue al autor. Tal vez lo haga y aún quizás tenga que escucharle decir que lo hace por el bien de todos", maldijo María. La imagen de Juana, Justa o Josefa ahorcadas la paralizó. Sin encontrar una solución, el desánimo volvió a hacer presa en ella. Resolvió tumbarse prometiéndose que cuando despertara se encontraría más lúcida y le sería más fácil determinar el mejor camino.

—No puede ser —se repitió mil veces con rabia de ella misma —que abandones así, vilmente a tu gente —cada vez que procuró sin encontrar, la fuerza para salir del abatimiento. Así permaneció ese día y los siguientes, sabiendo, pero sin asumir, que la disciplina a bordo se derrumbaba.

Pasaba largas horas del día y de la noche en popa, mirando hacia atrás como si allí hubiera dejado cuanto había de importante en su vida. Tan ajena estaba al mundo que la rodeaba que una de esas tardes, demoró en entender lo que ocurría cuando a ella se acercaron Juana y Justa. Traían bien sujeta, como si la arrastraran, a la jovencita hija del criado envenenado en Sevilla. Inés parecía herida y al borde de las lágrimas.

Imaginó otra pelea de las que provocaba el hastío entre las mujeres. Cuando estuvieron más cerca vio los ojos húmedos, enrojecidos y asustados de la chiquilla y se fastidió con la prepotencia de sus leales ayudantas.

—¡Soltadla! —exigió—. Ya me diréis qué ha hecho —murmuró de mala gana.

—¿Hecho? —exclamó Josefa que venía tras ellas

—¡Despierta! —tomó la palabra Juana.

—¿Qué?

—¿Dónde estás? ¿Es que no entiendes nada?

—Fuere lo que fuere no puede ser tan grave —titubeó al contestar María con el gesto de quien acaba de salir del sueño y todavía no entiende bien el mundo en que ha desembarcado.

—¡Vio-la-da; for-za-da! ¡En-té-ra-te! —escupió Juana.

—¿Qué? —gritó María mirando incrédula a las mujeres que la rodeaban. Detuvo luego la mirada en la chiquilla y preguntó con el tono de quien todavía lucha por la esperanza—: ¿Tú?

Quedó esperando con la boca abierta, como aguardando que le dijeran que las cosas habían sido de otro modo.

Inés respondió dejando escapar las lágrimas de vergüenza de quien se sabe irrevocablemente culpable. La procesión de ira que recorría el interior de María se manifestó en abrazo, atención, besos y solicitud de madre hacia la joven.

—Lo pagarán —murmuró con absoluta seguridad.

La llevaron a dormir a sitio protegido y volvieron al lugar que antes habían ocupado en popa.

—No hablaré de la parte de culpa que me toca —aseguró María— porque no hay tiempo que perder en lamentos inútiles. Vuestro parecer escucho.

En una hora habían concluido que matar uno solo de los tres culpables no bastaría porque no podían hacerlo abiertamente y parecería un accidente.

—Además es mucho mejor los tres, sin ninguna duda ni contemplación —decretó María.

—Los tres —respondieron Juana, Justa y Josefa como si estuvieran sumando el propio juramento.

—El veneno —opinó María— parece lo más seguro.

—Más me gustarían los puñales —pidió Juana.

—Difícil —evaluó María—. Aunque yo no perdí el tiempo y aprendí a disparar con la ballesta, igual será muy difícil matar a los tres sin que nos vean. El veneno —volvió a sostener.

—El veneno —se juramentaron todas y se dispusieron a preparar la triple ejecución.

—Veneno, grandes cantidades de veneno con miel, en el dulce vino.

—Se sienten como berracos en chiquero —murmuró Josefa—. Creerán que el vino es tributo; que significa sumisión. Nada distinto son capaces de imaginar que aquí estamos para que nos monten cuando quieran. Sonreirán por última vez tocándome el culo y aprobando que algunas seamos lo bastante listas como para ir a ofrecernos. Eso sí: no podemos fallar; no habrá segunda oportunidad.

—Iré contigo —propusieron al unísono Juana y Justa que permanecían tomadas de la mano.

Josefa rió, rogó y alardeó sobre sus propios méritos para ser el mensajero de las fatales copas. Tras vacilar, María determinó:

—Tiene razón; sin duda es la mejor de nosotras.

Montaron discreta guardia y vieron que los tres violadores se enfrascaron en una partida de dados.

—Es el momento —urgió Josefa.

—Es el momento —confirmó María.

Justa sirvió una jarra de vino y la puso en mano de Josefa. Luego vertió el contenido de un frasco en la bota casi llena y también se la entregó.

La portadora del vino fue recibida con risotadas. Uno de los hombres la sujetó por la cintura y la obligó a sentarse sobre sus rodillas. Simulando la falta de sumisión de los serviles, Josefa fingió alguna resistencia y profirió un insulto entre risas. De un gran sorbo apuró la mitad del vino que llevaba en la jarra. Luego se recostó como afectando luchar contra quien la sujetaba, volvió a reír estruendosamente y reclamó su parte en la buena suerte que seguramente iría a llevarle al jugador.

El hombre se movió buscando una posición más cómoda sobre la caja en que estaba sentado, abrió las piernas, apartó la ropa y mostró su miembro, proclamando:

—¡Este es el premio que te tocará en suerte!

Sus compañeros de juego saludaron con carcajadas la ocurrencia y prometieron igual recompensa. Josefa abrió la boca como para contestar, pero en vez de hablar hizo un gesto obsceno con la mano izquierda y con la diestra dejó caer entre sus labios lo que quedaba de vino en la jarra. Entre risas volvió a servirse e hizo ostensible ademán de continuar bebiendo. Quien la sujetaba le arrebató la jarra jurando que ninguna hembra por buena que estuviera iba a beber antes que él. De un trago largo vació el contenido.

—¡Vamos! —exigió—. ¿Acaso no hay para mis amigos?

Obediente, Josefa volvió a llenar la jarra y otro de los jugadores la vació a su vez. Sin esperar la evidente orden de volver a servir, lo hizo, y lo ofreció al tercero de los violadores. El individuo escupió a un costado, hizo una mueca de desdén y de abajo de su asiento extrajo y exhibió un frasco de aguardiente.

—¡Miserable; eso tenías escondido a los que comparti-
mos contigo las hembras que cazamos! —le insultaron
entre risas los que habían bebido el vino.

—¡Levántate y dame eso! —ordenó el que tenía
sujeta a Josefa mientras le arrebataba la bota, bebía largamente, la pasaba a su compañero, la recuperaba y volvía a
beber.

Al amparo de la atención que todavía prestaban al vino
y a los dados, Josefa pudo apartarse y fue donde las suyas.
Preguntó con alarma:

—¿Y ahora qué?

—Con lo que han bebido en menos de lo que se dice
un credo estarán retorciéndose de dolor —aseguró Justa.

—¡Actuemos ya! —urgió María—, o el que no bebió
sabrá que fue veneno y quién se lo ha dado, y estaremos
perdidas.

—¿Hacer qué? —interrumpió Justa.

—¡Tú! —ordenó María sujetando del brazo a Josefa—,
es necesario que vuelvas acercarte y lo lleves a aquel sitio
—mostró con la mirada.

—¿Tú estás preparada? —preguntó poniendo la otra
mano sobre el hombro de Juana.

Juana asintió con rápido movimiento de cabeza.

—¿Fallarás? —quiso asegurarse María.

—A esa distancia no fallaré —prometió mientras volvía
a medir la distancia entre el sitio en que podría esconderse
hasta el momento de lanzar el puñal y la baranda de babor
donde le llevarían la presa—. No, no fallaré.

—¿Ya? —apremió Josefa.

—¿Ya? —repitió María, pero preguntando a Juana.

—Un instante —pidió mientras se alejaba, para regresar en un momento portando un puñal en cada mano. Los
alzó y las hojas resplandecieron a la escasa luz de la noche.

Los llevó hasta el rostro y besó las empuñaduras en
forma de cruz. El acero brilló y reflejó su sonrisa.

—Pronta —confirmó.

—¿Cómo debo tratar de colocarlo? —dudó Josefa antes de ir en busca de quien nunca sabría que había eludido el veneno.

—No te importe —aseguró Juana.

—No te importe —confirmó María y urgió—: ¡ve!

Josefa volvió junto a los hombres que continuaban jugando pero con menos entusiasmo. Se situó de rodillas tras su víctima, se estrechó contra su espalda y deslizó las dos manos por entre su ropa, en dirección al pecho.

—¿Vamos? —le preguntó invitando con leve presión de brazos.

El hombre se incorporó, se abrazó a ella, la manoseó como si estuviera sobrio y se dejó conducir con andar de borracho. No bien estuvieron en el sitio convenido se escuchó una voz imperativa que ordenó:

—¡Apártate!

Josefa se escabulló y el hombre quedó recostado en la baranda. Mantuvo los brazos como si aún continuara abarcando un gran pez que se le hubiera escurrido. Miró incrédulo al vacío dentro del anillo que formaban sus brazos, buscó con la mirada a Josefa e increpó:

—¡Puta!

—¡Encomiéndate a Dios! —le contestó la voz que había ordenado a Josefa que se apartara.

—Ahora no —replicó haciendo un gesto como si espantara el alcohol que le impedía entender lo que ocurría.

—Que te encomiendes a Dios —repitió Juana mientras llevaba la mano cargada con el puñal cerca de la oreja y lo arrojaba buscando el pecho de su víctima.

—Ahora no —balbuceó el violador. Bajó la cabeza y vio el mango del puñal. Sintió el dolor, olió la propia sangre y percibió que estaba muerto en un único instante.

—¡Nooo! —sacudió el aire exponiendo su terror mientras trataba de mantenerse en pie contra la baranda. Abrió desmesuradamente la boca y dejó caer la cabeza hacia atrás, como el corredor extenuado.

La noche amplificó el ruido del cadáver chocando contra el mar y como si todos esperaran escuchar más, en la nave se apagaron los sonidos.

—Vamos —urgió María y se retiraron a sus sitios habituales de descanso mientras los que estaban de guardia y quienes acababan de despertar acudían a saber lo ocurrido.

—Un hombre al mar —confirmó Salazar contra la baranda—. Con la noche no lo encontraremos —habló en voz alta, pero como quien dice algo solo para sí.

—Ni falta hará —mostró otro la sangre que manchaba cubierta.

—Ni falta hará —repitió Salazar con el acento grave de quien sabe que está ante un problema que no conseguirá resolver—. ¿Alguien ha visto? —indagó sin esperanza.

La multitud intercambió miradas, murmullos y cada hombre expresó la propia ignorancia. El silencio volvió por sus fueros pero fue una victoria efímera, porque pronto la oscuridad se llenó con el murmullo de muchas voces. Los navegantes se miraban unos a otros, expresaban sorpresa, conjeturaban acerca de la identidad del muerto. Salazar supo que en la confusión de la noche, no podría determinar con certeza ni siquiera quien faltaba. Ordenó que todos los hombres estuvieran en cubierta al amanecer, hizo ademán de retirarse y exigió:

—¡Callad!

Al amparo de lo ordenado se abrió paso un sonido que ni pareció viento en las velas, ni pronunciado por ser vivo. Muchos se persignaron; Salazar y otros tras él fueron hacia el ruido. Encontraron dos hombres que se retorcían de dolor y gruñían como si una cuerda les cerrara la garganta.

—¡Quietos! —exigió el capitán—. ¡Qué ha pasado!

Los moribundos continuaron arañando las maderas de cubierta. Salazar se acercó un paso más, ajeno al eco de burla que había levantado su orden y mandó:

—Sujeten a estos hombres.

Los hizo colocar erguidos delante suyo e insistió en preguntar:

—¿Qué ha sido? —y obtuvo estertores por respuesta.

—¿Qué ha sido? —volvió a interrogar, pero esta vez habló con la voz de quien sabe que no obtendrá siquiera un indicio. Se persignó y cedió protagonismo a fray Agustín.

Nada tuvo que comprobar el religioso. Los hombres se asfixiaban con un dolor que les dejaba ciegos a cualquier arrepentimiento postrero. Les administró lo que pudo de los sacramentos. Impaciente, con recia voz como interrogando a cuantos presenciaban la agonía pero deteniendo su mirada en María y en Justa inquirió:

—¿Algo hay que pueda hacerse para aliviar el sufrimiento de estos desdichados?

Nadie contestó. Fray Agustín volvió a recorrer con la vista a la muchedumbre que rodeaba los convulsos cuerpos. Detuvo su mirada en las mujeres y encontró que Juana, Justa, Josefa y María rodeaban como protegiendo a quien en verdad había sido la víctima.

A igual tiempo, el aire dejó de entrar en los pulmones de los violadores. Exhalaron el último estertor y dejaron la cubierta vacía de voces, pero martillada por los cuerpos que se resistían a quedar inertes. Cuando toda vida los abandonó, Salazar ocupó el silencio afirmando:

—El que haya sido lo pagará —en tono tal que pareció anuncio de la propia impotencia.

—¡Ahora, cada uno a las propias ocupaciones! —mandó y fue conciente que le obedecían solo porque había dicho lo que coincidía con lo que de cualquier modo todos irían a hacer. Luego llamó a María, le invitó a sentarse e hizo lo propio de modo de quedar tan cerca como para que fuere posible hablar sin riesgo a ser escuchado.

—Ignoro qué habéis tenido que ver con todo esto y sé que no me lo diréis —aseguró.

—Si es así: ¿qué queréis decirme? —preguntó María con sencillez.

—Que habrá motín si no les entrego un culpable. También lo habrá aunque lo haga, pero puede que ganemos algún día.

—¿Cuál sería la ventaja?

—Tantas cosas pueden pasar en un día más —suspiró Salazar.

—¿Por ejemplo?

—Que vos o que yo estemos muertos. O, quién sabe, que encontremos tierra.

—Si no aparece el culpable: ¿cuándo será el motín?

—La próxima noche, supongo.

—¿Qué haréis?

—Resistir, pero será inútil. Me matarán; matarán a los pocos que están de nuestro lado.

—¿No hay esperanza?

—No creo.

—¿Ninguna?

—Para mí, morir como un hombre.

—¿Puede Vuestra Merced señalar con seguridad quienes son los cabecillas del motín?

—No se dejarán pillar —sonrió Salazar—. No comerán otra comida que la que ellos preparen, ni beberán más vino ni agua que la que tienen controlada.

—¿Podéis? —insistió María.

—Sé quienes son pero no se pondrán a mi alcance.

—Si se pusieran: ¿qué haría Vuestra Merced?

—Los mataría, pero eso ellos también lo saben. No correrán el riesgo. No podré.

—Podremos.

Salazar se acomodó en el asiento, se sirvió una copa del mejor vino de Jerez y aseguró:

—Sois increíble, doña María.

—Deberá Vuestra Merced confiar en mí.

—Total —asomó una sonrisa en los labios de Salazar y se dispuso a escuchar.

Cuando María hubo explicado lo que se proponía volvió a sonreír y negó con la cabeza, como quien no da crédito a lo que ha oído. Sirvió un vaso de vino de Jerez y lo puso en la mano de la joven. Volvió a servir el suyo, lo alzó y propuso:

—¡Por Cabeza de Vaca!

—¿Habéis perdido el juicio? —preguntó María sin dejar por ello de alzar su vaso.

—Cabeza de Vaca me dijo maravillas de vos. Por supuesto, pensé que le había atacado el mal que suele empañar el entendimiento de los que nos vamos volviendo viejos —volvió a esbozarse una sonrisa en la boca del capitán.

—¡Por Cabeza de Vaca! —brindaron los dos e inmediatamente se pusieron en pie, como quienes no pueden perder un instante. Antes que María se alejara, Salazar la retuvo y afirmó:

—Aunque nos vayamos al infierno, merecéis ganar.

Volvieron a cubierta al encuentro del aire fresco y de los cadáveres que con presteza habían sido preparados para ser entregados al mar. Durante lo que restaba de la noche, cuchicheos de sorpresa, de miedo y de venganza se entremezclaban, mientras el grupo de los que estaban dispuestos a amotinarse permanecía nítido. Al alba, el mínimo oficio religioso se elevó con dificultad sobre las voces y por un instante, el sonido del agua que se abría para recibir los cuerpos, acalló los murmullos.

Salazar lo aprovechó y prometió con solemnidad falsa:

—¡Encontraré al culpable y antes de la medianoche lo ahorcaré!

Sin dar lugar a ningún eco, ordenó que cada cual regresara a sus actividades. Los cabecillas del motín en ciernes se retiraron como si les hubieren dicho que volvieran a afilar las armas. Les inquietaba que hubiere alguien capaz de matar desde la oscuridad. Les parecía difícil que Salazar cumpliera, pero estaban seguros de la propia incapacidad para resolver el problema. Conscientes de la impunidad que les daba su superioridad numérica, resolvieron diferir el motín hasta la hora en que el capitán había dado como plazo para entregar al matador.

Transcurrió el día cargado de malos augurios y cayó la noche sin luna ni viento. El silencio de unos y el murmullo de otros anunciaba tormenta. Repentina luz nació, se multiplicó e invadió cubierta. Antes que la gente interpretara la claridad, alguien gritó:

—¡Fuego! —para describir el incendio que devoraba la popa y amenazaba extenderse.

En la confusión, dos puñales certeros arrojados desde corta distancia acabaron con la vida de otros tantos cabecillas. El tercero percibió lo que ocurría a pesar del denso humo, buscó refugio trepando hasta lo alto del palo mayor y desde allí reventó la garganta voceando un reclamo de auxilio que se diluyó en el griterío general. Cuando se vio perdido empezó a suplicar a voces:

—¡Confesión!

—No ganarás tiempo —prometió María.

—Demasiado lejos —murmuró Juana.

María no respondió, fue donde Salazar tenía las armas preparadas para una resistencia imposible y regresó con una ballesta. Acertó al primer disparo y el cuerpo sin vida del tercer cabecilla se estrelló contra cubierta. Poco después, sin dificultad y sin que el navío sufriera mayores daños, el fuego que había sido cuidadosamente provocado fue sofocado.

La atención absoluta que habían concitado las llamas saltó sin languidecer a los tres cadáveres que descansaban en cubierta. Un círculo de incrédulos; un anillo de murmullos se levantó en torno a los cuerpos tendidos.

Salazar advirtió a María:

—Si hay motín lo habrá ahora —en un tono de tal neutralidad que parecía el de quien, por muerto, no podía arriesgar la vida.

Anduvo hasta el puesto de mando seguido de los ocho únicos hombres en que depositaba plena confianza.

María se mordió los labios por conservar la calma, mientras se maldecía por el vuelco que había dado su corazón al ver a Staden entre los leales. Escuchó que Salazar les ordenaba:

—Todos con las mechas encendidas y los arcabuces preparados. Al que yo señale con el índice lo matan como a un perro. No malgasten disparos. El primero que ha de hacer fuego es quien se sitúe más cerca de mí, a la derecha. Luego cada uno al que tenga más próximo y luego que Dios nos ampare.

A tañido de campana convocó a cuantos había en el barco.

—Entre la noche de ayer y la de hoy —empezó sin preámbulos— hemos tenido seis cadáveres. Pongo a Dios por testigo; que el Señor me fulmine ahora, si yo los he matado o mandado matar. Pero —continuó el capitán aprovechando el hueco que le hacía la expectación—, los seis que han perdido la vida tenían algo en común. Faltaban a sus deberes de respeto a las damas que llevamos en esta nave; no cumplían con la debida obediencia a su capitán; no mostraban temor de Dios. ¿Quién los mató? —preguntó como si fuera a identificar a los culpables y luego de breve pausa señaló—: Dios lo sabe y a su tiempo pedirá cuentas. Dios se apiade de ellos y del alma de los muertos. Y a los demás —agregó levantando el puño cerrado—, que nos sirva de advertencia.

Salazar volvió a hacer una breve pausa y a continuación ofreció como quien hace una pregunta sin importancia:

—¿Alguien quiere hablar?

Desde el silencio, un individuo exigió:

—¡Haga Vuestra Merced justicia o la haremos nosotros! —amenazando con el puño izquierdo y exhibiendo el hacha que sujetaba con la diestra.

—Hacer justicia... —empezó a contestar Salazar como quien va a ser condescendiente mientras levantaba la mano y le apuntaba con el dedo índice. Sobre la voz del capitán se alzó un estampido y la bala disparada por uno de sus arcabuceros reventó el pecho del que había sido señalado.

—¿Alguien más quiere hablar? —preguntó el capitán como quien modera una tertulia.

Nadie pronunció palabra y apenas el discreto golpe de las armas contra el piso mostró que quienes estaban prontos para el motín se rendían sin luchar.

—Vosotros dos —ordenó Salazar a dos marineros—, prendan a aquel —se cuidó de señalarlo con toda la mano—. Vosotros dos —gritó señalando a otros—, prendan a aquel otro.

Así, ordenó la prisión de cinco individuos que fueron maniatados por los que hasta hace un momento eran sus secuaces. Los hizo conducir y encadenar en bodega y a viva voz asignó la custodia a dos de sus leales con instrucción de ejecutarlos ante la mínima duda.

—¡Cada cual a lo suyo! —finalmente ordenó a la multitud. Camino de su cámara se acercó a María, la sujetó con suavidad del brazo y agradeció:

—Comprendo a Cabeza de Vaca. Por un momento me habéis devuelto al tiempo en que tenía veinte años.

—Si puede no los ahorque —fue cuanto se le ocurrió decir a María.

—No hará falta; sin cabecillas no habrá motín —pronosticó Salazar y dio un paso para continuar su camino.

Los cuatro cadáveres permanecieron sobre sendas tablas lo que restaba de la noche. Nadie los lloró y al alba fueron entregados al mar. El agua los engulló indiferente y en un momento fueron apenas bultos oscuros que se alejaban raudos del mundo de los vivos. Cuando el sol empezó a calentar cubierta parecían olvidados como si hubiera una categoría de hombres prescindibles. A medio día el tema del motín apenas sobrevolaba como algo que fue importante pero ha pasado de moda. La actualidad era el mar infinito, la ruta extraviada, el agua dulce que había que haber empezado a racionar hacía mucho.

Buen viento soplaba y las naves avanzaban elegantes. Los veteranos de la mar sabían que había islas portuguesas pero navegaban a ciegas porque el piloto no las tenía en su mapa. Todos los días esperaban avistar tierra, mas los fatigados ojos solo descubrían mar. María redobló el esfuerzo para mantener animosa a su gente, apenas para conseguir que sus victorias del día se extraviaran en la desesperanza que se abatía cada ocaso. Sabía que a la hora del crepúsculo su desaliento renacía y dispuesta a no cederle terreno, acostumbraba compartir esa hora con fray Agustín.

—Hace diez días que nos libraste de los amotinados. Diez días, cada uno exactamente igual al otro. Tanto que parecen uno solo —comentó el religioso.

—Cada día igual al anterior... Hace un día que no escuchaba una risa y la de ayer también fue tuya —confirmó María.

—Por no llorar. Nunca religioso alguno ha tenido fieles tan desganados.

—Si se parecen a mí luego de empujar a Staden a un costado... —rió María de sí misma.

—¡Otra vez! —ironizó con la censura fray Agustín.

—Después de todo, bien podía no haber sido tan radical —replicó con una sonrisa, mientras permitía que un estremecimiento de deseo recorriera su cuerpo.

—Ah, cómo les embellecería la vida si ahora gritara: ¡tierra! —cambió el religioso el tono de la conversación y luego enmudeció.

María no replicó. En los labios de uno y de otro flotó una expresión de serenidad en la que no estaba ausente la alegría. Tras el breve tiempo que el sol tardó en esconderse en la mar, María, como si estuviera hablando para sí misma, reflexionó:

—No puedo ponerlos a trabajar para mantenerlos ocupados. Ahora —sonrió—, no me haría falta abrir una brecha en el casco de la nave. Pero con agua y alimento a media ración es locura poner en movimiento los cuerpos. Sin actividad no voy a mitigar el abatimiento de las almas. Sin embargo... sin embargo —repitió con alegría como quien ha encontrado una solución—, una o dos cosas puedo intentar.

Sin explicar lo que se proponía, tomó del brazo a fray Agustín e invitó:

—Ven, que voy a pedir autorización a Salazar.

El capitán se encogió de hombros y contestó con un dejo de ironía:

—Doña María: haced lo que queráis, que vais a enloquecerme. No me habéis pedido permiso para agujerear el casco de la nave, para acercar llamas a la santabárbara, para desatar un incendio ni para enviar seis hombres al otro mundo. Y ahora —agregó tras una pausa— reclamáis mi autorización para cantar y leer.

María agradeció con la sonrisa de quien ha obtenido lo que quería y no desea discutir. Con prisa por ejecutar cuando se proponía, regresó a proa con fray Agustín.

—Me gusta —aprobó el religioso—, pero no los moverás para que vengan a escucharnos.

—Depende.

—¿Depende? Cada vez les leo menos la Palabra para no sufrir los bostezos con que la reciben.

—Depende: leeremos lo que quieren escuchar.

—No resultará: convoca a todos y vendrán tres.

—No llamaremos a nadie.

—Sabía que el sol del ecuador daña el entendimiento, pero tus propuestas ...

—¿Has leído *Orlando Furioso*?

—¡Ni Dios permita! —se persignó fray Agustín y luego de una pausa rió—: si, bueno, lo admito. Lo he leído: ¿y qué?

—Lo tengo traducido.

—¿Y?

—Eso leeremos.

—Perdidos en el mar al borde de rendir nuestras almas al Señor y tú quieres que nos dediquemos a contar historias de caballeros y de amores.

—No me lleves, querido amigo, a una discusión complicada. Ya bastante tendré que explicar el día del Juicio. He matado sin conceder oportunidad de defensa y sin lamentarlo: ¿crees que la lectura de un libro de entretenimiento me agregará una mancha considerable?

—No, pero...

—Pero nada. El día del Juicio nos tendrán en cuenta que lo hecho fue antes por salvar a todos que por salvarnos nosotros.

—Eres infamemente convincente —rió el religioso y preguntó—: ¿cómo haremos?

—Que sepan leer bien, podemos contar con mi madre, mi hermana, tú y yo. Tal vez alguien más, pero por ahora bastará. Habrá que leer el principio muchas veces.

—¿Por?

—Si les ordeno que escuchen no pondrán interés.

—¿Y?

—Empezaré como si leyera para unos pocos. Otros querrán y se irán acercando. Habrá que empezar muchas veces desde el principio.

—Ah, te contrataría para que me expliques como enseñar doctrina —bromeó el religioso.

—Mañana cuando el sol haya bajado un poco, empezaremos —sonrió María, que agregó—: ¿puedes volver a poner en funcionamiento tu coro de voces angelicales?

—Puedo —se entusiasmó el religioso al tener una actividad en qué entretenerse.

Una hora antes del crepúsculo, María se acercó con paso silencioso hacia donde Juana y Justa contemplaban los cambiantes colores de la mar y del cielo. Las jóvenes se sobresaltaron cuando percibieron su presencia y se separaron como si las hubieran sorprendido en falta. María exhibió el libro que traía, fue a buscar a Josefa y comenzó a leer para las tres, en voz suficientemente alta como para que otros pudieran escuchar el relato. Después del pobre desayuno, un segundo grupo atendió la lectura de las mismas páginas, esta vez de labios de doña Mencía. Tras el escaso almuerzo, numerosa gente siguió la lectura de los mismos folios, ahora en la voz de Mencita. Un buen rato antes que cayera el sol muchos pedían escuchar el cuento desde el principio, para poder atender luego la lectura del capítulo siguiente. Al atardecer, María cedió su lugar a fray Agustín y la nave entera estuvo pendiente de sus palabras.

Antes que el cansancio por la extensión de la narración se aproximara, María interrumpió proponiendo seguir mañana. Nutridas voces de amistosa protesta se alzaron y luego se elevó sobre ellas la de la joven, pidiendo:

—Escuchad.

Todos quedaron aguardando lo que iba a decir pero en su lugar trinó una guitarra y tras ella diez voces entonaron la nostalgia por la tierra, la gente, la vida que habían dejado. La sonrisa de fray Agustín fue invitación suficiente para que todos se entregaran a dulcificar con música el desaliento de la noche.

Antes del amanecer cantó el único gallo que todavía vivía en la nave. El parco desayuno se hizo menos amargo por la expectativa de la reanudación del cuento. Hubo oyentes que poner al día desde la primera página. Fueron muchos los que se entretuvieron escuchando por segunda vez. Un día tras otro, unas y otras voces de narradores fueron ganando adeptos. Había quien quería el tono apasionado de María, quien prefería el cuento límpido de Mencía y el que elegía la voz robusta y casi admonitoria de fray Agustín. Pero aunque lo hubieren escuchado en otra boca, todos amaban escuchar el dolorido, dulce relato de Mencita.

Los groseros marineros escuchaban como si hubieran vuelto a ser niños y sus madres les cantaran en la cama. Atendían las señales de su rostro como lo habían hecho cuando enfermos, con el de la santísima Virgen. Las mujeres querían ser ella, pero sin envidia. Cuando terminaba la lectura prevista del día, se adivinaba el tosco movimiento de los hombres que hubieran corrido a abrazarla con delicadeza; la gratitud de las mujeres por haber salido de una nave a la deriva y haber corrido aventuras en tierras y tiempos lejanos.

La música siguió señalando cauce adecuado para la nostalgia y permitió que la desgraciada gente transformara el dolor en poesía. El imán de la narración hechizó de modo que muchos se empeñaron en averiguar la manera de leer. Mientras, las naves seguían el rumbo de los vientos, sin agua ya para alcanzar las Indias. La lluvia podía diferir el fin; las islas portuguesas que no estaban marcadas en la carta del piloto podían salvarlos.

Día tras día amanecía sin una nube que presagiara el agua deseada; los horizontes claros permitían extender la mirada, pero ninguna sombra amenazaba el ominoso predominio del agua salada. El grito anunciando tierra continuó siendo la mayor esperanza, el más dulce sueño, pero la narración limó a veces su protagonismo obsesivo.

Llegaba a su término el día, la lectura de esa jornada y las páginas de Orlando Furioso. Mencita pasaba con lentitud los últimos folios como sumando la tristeza por el fin del libro a la propia. Entrecerró los ojos, hizo una larga pausa como soñando y dejando soñar a quienes la escuchaban, los abrió y sonrió con timidez a los colores del atardecer. Murmuró:

—Pájaros.

Nadie preguntó, pero pareció que todos decían:

—¿Qué?

—Pájaros —susurró Mencita con la expresión en el rostro de quien contempla la belleza.

—¡Pájaros! —se alzó una gigantesca gritería de alegría.

La ansiedad y la esperanza volvieron por sus fueros. Los hombres volaron a subir a las gavias para seguir con la vista el rumbo de las aves. La gente se abrazó y se bendijo en cubierta. La noche fue de vigilia, el alba de mirada tensa y corazón palpitante. Nadie quiso llamarse a engaño; nadie gritó que había visto tierra hasta que los primeros rayos del sol hicieron de la playa una evidencia irrefutable.

IX

Se repusieron del trabajoso mar al amparo de la hospitalidad de los escasos portugueses de la isla de Ano Bom. Descansaron en la arena del océano que venían de surcar. Apagaron la sed y se regocijaron sumergiendo los cuerpos en agua dulce. Hicieron nueva provisión de bizcocho con la harina que traían, aprovechando la abundancia de leña. Se saciaron de pescado e hicieron carbón para que no escaseara en alta mar. Carenaron los negros cascos de las naves, empalmaron cabos, cosieron velas. Cargaron hasta donde cupo agua exquisita y cuando se anunció el inicio del tiempo de los buenos vientos estaba todo pronto. A última hora subieron reacios cerdos y gallinas que parecían negarse a sustituir a los animales que en anteriores tramos de travesía se habían convertido en alimento fresco.

Antes del alba, hombres y mujeres embarcaron resignados, como si fuera evidente que no podían quedarse. Un día y una noche de buena brisa dejaron fuera del alcance de la vista la playa que había sido tabla de salvación. Cuatro distantes meses los separaban ya de España y las naves volvían a ser huérfano juguete de las olas. Los que habían desistido del viaje eran reverenciados como ejemplo de sabiduría. La inteligencia de Marta y la de quienes habían desertado aprovechando la oportunidad que la inesperada Lisboa les ofreció era alabada. A bordo sonaban buenas palabras que se ahuecaban como escondiendo malos presagios. Afloraban gestos de ansiedad que disimulaban íntimas maldiciones por haber puesto entre la vida y la muerte el escaso grosor de una tabla.

Muchos pusieron empeño en repetir la cercanía que proporcionaban los coros pero brotó música de gente que se sabía sola. Los que pretendieron leer para todos no consiguieron que la narración ocupara el lugar de la vida. Quienes intentaron escuchar no lograron que la aventura de antaño aventara el deseo por alcanzar la orilla.

Antes de zarpar, Salazar había convenido en ceder la fuerza y habilidad de los amotinados que no había ahorcado, a las dos carabelas. En prevención de posibles males les proporcionó también cuatro hombres de guerra y a cambio, recibió algunos marineros y varios pasajeros. María accedió sin dudar que Staden estuviera entre los que se iban, aunque ya en alta mar se entristeció.

Las caras nuevas que había a bordo eran la única seña que recordaba circunstancias en que hombres habían sido colgados, envenenados, apuñalados y asaetados. Habían venido para reestablecer el equilibrio e incluso por pequeños o mínimos motivos como los que suelen determinar que un pasajero embarque en la nave que zozobra o en la que llega.

Don Hernando de Trejo, caballero de Plasencia, había pedido y conseguido sin dificultad continuar viaje en la nave capitana. Por jerarquía y fortuna era de los hombres principales de la armada. Había superado holgadamente los treinta años, su estatura era mediana, su corpulencia escasa, su agilidad mucha y sus manos mostraban que nunca había trabajado con ellas. Era cortés con el capitán y con el último de los marineros. Procuraba ser amable pero se mantenía a prudente distancia de las mujeres.

Sin obligación ni necesidad, hacía por mantenerse ocupado. Ora se empeñaba en entender los mecanismos del barco, ora prestaba ayuda. Parecía tan interesado en el camino como en la meta. Irradiaba contento, causando vivo, aunque no agresivo contraste con la ansiedad generalizada.

—Vine aquí —sonrió cuando tuvo oportunidad de dialogar con María —porque desde la isla de la Palma vengo escuchando cosas extraordinarias de esta nave.

—Sucesos no han faltado —sonrió María.

—Así ha de haber sido, aunque solo sea verdad pequeña parte de cuanto se murmura.

—La mar lleva y trae historias.

—Habláis como experimentado capitán —sonrió don Hernando de Trejo.

—Cruzar el mar hace de cualquiera un marino.

—La curiosidad me puso camino de las Indias; atravieso el océano y observo, pero no veo que la abundancia de agua salada me esté tornando un marino. Veré si esta nave lo hace —bromeó el caballero de Plasencia.

—Bienvenido entonces —terminó María la conversación con amabilidad.

—Parece que las Indias son extraordinarias. Si es verdad cuanto he escuchado, las damas se tornan extraordinarias incluso antes de llegar.

—Nos halagáis.

—No halago. Apenas me esfuerzo por comprender. Además —agregó sonriente—, tenéis libros y confío en que me los prestaréis.

—¿Un caballero amante de la lectura? —se sorprendió María.

—Un caballero deseoso de saber —corrigió Trejo.

—Vea Vuestra Merced los que hay y elija el que desea.

—Gracias —sonrió con la expresión de un niño pequeño al que han dado un dulce.

—Bienvenido —se despidió María y sonrió—: elegid cuanto antes porque el balanceo y la lectura son malos compañeros.

Esa tarde la brisa creció hasta ser viento y la mar se puso gruesa. Al principio las naves mejoraron su marcha,

luego la espuma blanqueó en cubierta y por último latiga-
zos de agua salada la barrieron. La velocidad del viento
asustó a gente que se había acostumbrado a temer la calma.
La lerda tripulación empujó a los animales hasta donde las
olas no podían golpear. El viento se enfureció célere y la
maniobra en la mar arbolada se tornó un combate. Un
dañino golpe de aire se dio prisa y partió el trinquete antes
que pudieran arriar todas las velas. El temporal dominó la
oscura tarde y la entera noche. Al alba perdió fuerza y al
mediodía fue impotente para detener el radiante sol. La
tripulación reparó daños, recobró fuerzas y olvidó miedos.
Hombres, mujeres y animales volvieron buscando el aire y
la luz de cubierta. Aguzaron la mirada en todas direcciones
y no encontraron rastro de las carabelas.

Cercado y custodiado fuego encendieron en proa, para
que densa columna de humo se alzara al cielo. Aguardaron
en vano la respuesta de las dos naves menores y cuando
cayó la tarde habían asumido que alcanzarían la costa o
morirían solos. Para unos, las carabelas se habían ido a
pique durante la tormenta y su gente descansaba ya en el
fondo del océano. Los más se aferraban a un reencuentro en
el punto señalado de la costa del Brasil que para la nave
capitana se había situado a más días de camino a causa del
fracturado trinquete.

—¡Otra vez! —maldijo María para sí cuando Salazar le
comunicó que era imperioso empezar a racionar la comida.

Pensó reunir a todas las mujeres y comunicar las malas
nuevas envueltas en optimismo. Luego le pareció que ni
había lugar adecuado para hacerlo ni que le saldría bien.
Resolvió hablar muchas veces con pequeños grupos; pensó
que debía preparar qué y cómo decir. Se acercó donde fray
Agustín, le invitó a que le acompañara y le preguntó:

—¿Qué harías con lo del racionamiento?

—¿Hay más de una solución posible?

—No te burles de mí: ¿cómo lo dirías?

—Que el ayuno purifica.

—Te burlas.

—¿Acaso guardas solo para ti ese privilegio?

—No estoy de humor.

—Puede que ese sea el problema.

María fue a contestarle con una grosería pero su mirada colérica se diluyó al estrellarse contra la expresión de contento del religioso.

—Ya me dirás qué te pasa —murmuró María desarmada, sonrió y pidió—: pero ayúdame ahora.

—No solo de pan vive el hombre.

—¿Y?

—Si estuviera en tu lugar repartiría esperanza terrenal, que es lo que quieren... queremos recibir. Es mejor creer que el racionamiento es por exceso de prudencia y que la costa del Brasil está al alcance de la mano.

—¿Y dentro de un mes qué diremos? —preguntó María—. Suponiendo que podamos decir algo porque no hayamos muerto.

Al rato murmuró:

—¿Sabes, fray Agustín? Envidio la paz que tienes.

—A veces temo que Dios me cobre el privilegio que hoy me da. He dejado de torturarme con las faltas que no puedo evitar. Días hay en que creo que Él lo quiere; noches hay en que estoy seguro que le ofendo.

—Yo ni de día ni de noche encuentro paz.

—¿Por lo del arcabucero?

—No —sonrió María algo confundida—. No, no me parece que sea eso.

—¿Entonces?

—Eres la única persona que conoce cuanto he hecho y cuanto he pensado hacer. Empecé considerando envenenar a mi padre; desde entonces induje a matar, mandé matar y yo misma lo hice. He buscado arrepentirme pero no estoy tan ciega como para ignorar que no es verdad, que sinceramente creo que lo hecho bien hecho ha estado.

—¿Y?

—Me ha movido la necedad de los hombres.

—¿Las mujeres son menos necias?

—Son menos necias. Es verdad que si tuviéramos poder otro gallo cantaría.

—¿Y?

—¡Deja ya de preguntar "y"! —hizo como que se irritaba María y continuó—: empiezo a flaquear.

—No lo veo.

—No en mis actos; sí en mis convicciones.

—Explícate.

—Por la gloria he recorrido este camino. Por la inmensa admiración hacia los que protagonizaron grandes hechos. Para que el presente y la posteridad tuvieran noticia de mí. Por ello me empeñé en buscar el poder. ¡Qué fácil ha sido; cuán sencillo resulta tener bajo control lo que parecía imposible! ¡Qué poco esfuerzo ha llevado vencer necios nobles, necios corsarios, necios capitanes, necios marineros!

—¿Y por eso empiezas a flaquear?

—Tal vez por lo fácil que ha sido, empiezo a preguntarme: ¿para qué?

—Los padres de la Iglesia habrían aplaudido tu discurso —sonrió sin ironía fray Agustín—. Pero es mejor que no te preguntes demasiado, que te precisamos para llegar a tierra.

Quedaron contemplando el mar hasta que María se despidió diciendo:

—Trataré de mitigar la amargura del pan escaso con alegría —y se fue como quien ha recuperado la salud.

Durante dos días navegaron a media ración. Al tercero, grandes cardúmenes de peces del tamaño de un hombre cercaron al navío. La jornada fue una fiesta mientras izaban dorados y bonitos. La mar adquirió destellos rojizos cuando los arpones se cebaron en los de mayor tamaño. Al atardecer el aire se llenó de peces voladores y por la mañana muchos habían caído dentro de la nave. Saciado el hambre, repuestas las provisiones, bello el clima, hombres y mujeres se movían a bordo como quienes se saben predestinados a una travesía feliz.

Sin embargo el infatigable mar no dio descanso y pronto se convirtió en epidemia la enfermedad que un marinero había contraído en la isla de Ano Bom. María fue de las primeras víctimas. Luchó un día entero como si la fiebre se derrotara con entereza de carácter. No admitió que no podía más y su organismo lo hizo por ella. Las piernas dejaron de sostenerla y se araño rodillas y manos al caer. Todavía luchó por incorporarse pero no alcanzó más que a adoptar lo que le pareció una ridícula posición de cuadrúpedo.

Entre los marineros no hubo quien no hiciera gesto de atenderla ni quien se atreviera a tocarla. María pasó los días siguientes con breves intervalos de lucidez en el océano de la alta fiebre. Tapada hasta los ojos no consiguió combatir el frío interior que hacía caso omiso del calor del trópico y de la violenta temperatura corporal. Se quejaba con suavidad y hablaba como si soñara en otro idioma. En un momento en que la fiebre le dio respiro preguntó a Mencía que no se movía de su vera:

—¿Madre: me voy a morir?

Mencía se apresuró a negar enfáticamente. María sonrió con tristeza y pidió:

—Ve, llama a fray Agustín y déjame con él.

—¡No! —contestó, con horror.

—¿No? —susurró María.

—¡No permitiré que te prepares para la muerte!

María dejó caer la cabeza sobre la almohada y dejó que su madre continuara acariciándola. Sin dificultad acudieron a ella las lágrimas que tan férreamente había encerrado. Lloró por lo que le había dolido y había callado cuando era pequeña. Lloró por la mala fortuna de Cabeza de Vaca obligado a quedar en tierra. Lloró por la aciaga suerte de los que ella había incitado a embarcar y por Marta que había desertado en Lisboa. Lloró por España a la que no volvería a ver y por las playas de Brasil que jamás vería. Lloró hasta desahogarse por la nostalgia de unos breves días en Canarias y derramó lágrimas por haber dejado que el arcabucero marchara en una nave que se había perdido. Lloró por el esfuerzo malgastado, por lo que podía haber sido y por lo que ya no sería.

Lloró protegida por la caricia de su madre hasta extraviarse en el sueño tumultuoso de los afiebrados. Cuando volvió a despertar insistió:

—Por favor, madre, no me contradigas; has de llamar a fray Agustín.

—Confesarte quieres como si estuvieras muy enferma —bromeó el religioso intentando disimular el miedo.

—¿Confesarme?

—Bueno —sonrió, como si la pregunta le hubiera quitado una pesada carga.

—Querido amigo —murmuró María con lucidez, pero llena del cansancio de la fiebre: -¿qué podría confesar que no lo haya hecho ya? ¿Qué secreto guardo en mi alma que tú no conozcas?

—Gracias —murmuró fray Agustín.

—Arrepentirme; al borde de la muerte conviene...

—¡No estás al borde de la muerte!

—No me interrumpas —pidió María con dulzura—. El problema es que no consigo arrepentirme.

—¿Acaso no has amado al prójimo como a ti misma?

—¿Los que mandé a la muerte?

—¿Podías defender a quienes salvaste sin hacerlo?

—¿Siempre será así?

—¿Qué quieres decir?

—¿Acaso esto no es una señal; acaso se puede ir por la vida matando?

—No sé —murmuró fray Agustín.

—Yo tampoco sé. Sabes —añadió María luego de una pausa—: tengo miedo.

—¿Quién no lo ha tenido alguna vez?

—Yo no había sufrido el miedo y ahora lo padezco.

—Miedo de la justicia de Dios.

—Miedo al infierno, miedo a la muerte, miedo a que mi cuerpo se pierda en el monstruoso océano, miedo a morir antes de haber empezado y sobre todo, miedo a dejar sola a mi gente.

—No nos dejarás solos.

—Querido amigo —se irritó María—, ni el miedo ni la fiebre me vuelven ciega.

—Perdona —murmuró fray Agustín—. Tengo más miedo que tú.

—Gracias, amigo —sonrió vagamente María, se volvió hacia el otro lado, tornó a taparse hasta los ojos y regresó al vaporoso mundo de la fiebre.

Toda vez que pidió agua, la mano solícita de Mencía le acercó el vaso a los labios. Cuanta ocasión el sudor empapó su frente, Mencía lo enjugó afligida y solícita. Sintiendo que María continuaba escuchando desde dentro de la nebulosa a dónde la fiebre la había transportado, se negó al silencio. Le narró con dulzura lo que recordaba de los primeros años de su vida. Le pintó con suaves colores las tardes de siesta en las que su abuela le había enseñado a descifrar las letras, mientras los demás dormían. Quiso describir el rostro de la bisabuela de María pero supo que se le habían perdido sus aristas.

—Sin embargo —sonrió al oído de la enferma —todavía veo la luz de conspiradora que brillaba en ella.

Cuando hubo agotado su caudal de recuerdos confesó:

—También... —pero se interrumpió, mientras la crispación encendía su rostro y movía la cabeza de un lado a otro, en actitud de negar lo que no había llegado a pronunciar. Juntó las manos como si se dispusiera a una plegaria pero dejó caer los brazos, desalentada. Un momento después prosiguió como si debiera cumplir un deber ineludible.

—¿Te acuerdas —indagó como si María estuviera en condiciones de responder— que tras una de las palizas de Sanabria, me revelaste que Cabeza de Vaca estaba de tu parte para ayudarnos a salir del infierno? Yo te confieso ahora —tembló Mencía al susurrar al oído de su hija inconsciente— que engañé a Sanabria y fui mujer del Emperador tres días de primavera.

Como si se hubiera librado de una losa que desde antiguo le apretaba el pecho, la normalidad volvió a la respiración de Mencía. Tornó a acariciar el cabello de su hija, se inclinó y con voz apenas audible le ordenó:

—¡Debes recuperarte, que todos te precisamos! Ah, —agregó con una sonrisa—, ¡juro que cuando hayas sanado no te ocultaré lo que hasta hoy ni siquiera en confesión he dicho!

Los dos días que siguieron fueron de mucha fiebre pero tras ellos, la vida empezó a ser más fuerte, la temperatura más baja y los intervalos de lucidez más prolongados.

—Algo me ocultas —aseguró María cuando la mejoría de su salud le permitió hilar indicios.

—Todo está bien: ¿qué podría ocultarte?

—Algo me ocultas.

—Buen viento nos lleva, gracias a los peces el racionamiento no se hace difícil de llevar, y la tripulación está tranquila.

—Subiré —intentó incorporarse María sin que la debilidad se lo permitiera.

Mencía rozó las mejillas de su hija con un beso y suplicó:

—Descansa.

—¿Qué me ocultas, madre? —rogó María y Mencía, rota por el cansancio sollozó—: las fiebres se extienden.

—Es horrible —murmuró María.

—Horrible —repitió Mencía.

—¿Cuántos?

—¿Cuántos qué? —se angustió Mencía.

—Tu pregunta dice que hay dos interrogantes —murmuró sombría María—. ¿Cuántos hay enfermos? ¿Quiénes han muerto? —preguntó con voz temblorosa.

Mencía nombró dos hombres y cuatro mujeres que ya no estaban. María se tapó la cara con ambas manos, reprimió un sollozo y preguntó con ansiedad:

—¿Y enfermos?

Su madre pronunció los nombres de los que ya estaban saliendo de las garras de la fiebre y siguió luego con la veintena que peleaban por la vida.

—¡Qué desgracia! —rumió María—. Madre —pidió luego—, te ruego que me ayudes a salir. Me moriré de pena si no puedo consolar a las mujeres que alenté a venir.

—No puedes —suplicó Mencía.

—Me moriré si no lo hago. Ayúdame por favor.

—Estás loca hija mía —murmuró Mencía para decir que accedía—: ¿qué quieres que haga?

—Prepara un asiento y busca dos hombres que voluntarios quieran llevarme.

—¿Voluntarios? —sonrió Mencía con amargura—. Desconoces el absoluto terror que reina en la nave.

—Por favor —suplicó María.

Mencía subió para atender el ruego de María. A su pedido acudió fray Agustín.

—El caballero Hernando de Trejo vendrá a ayudarme a cargar contigo —aseguró.

—¿No teme el contagio?

—Dice temer más que nadie, pero que no le parece que haya sitio donde esconderse. Vendrá enseguida.

—¿Enseguida? —preguntó María e instintivamente llevó las manos a la cabeza como para tratar de arreglar su cabello.

—¡Ah, querida amiga: veo que te reestableces! —rió el religioso parodiando el gesto.

María contestó con una sonrisa. Cuando la alzaron a cubierta recibió como una bendición la luz y saboreó como un manjar el torrente de aire salino que inundó sus pulmones. Pidió que la llevaran donde aquellos que deseaba ver primero, pero los dolientes que encontró en el camino lo impidieron. Repartió consuelo con el poder del hasta ahora invicto capitán; con la virtud de quien con el propio ejemplo mostraba que era posible derrotar la enfermedad.

Cuando pudo se acercó donde yacía Justa e interrogó con la mirada. Juana se encogió de hombros. Josefa juntó las manos en la actitud de quien se dispone a una plegaria y tampoco pronunció palabra. Una y otra se incorporaron, cuidando de no molestar a la enferma y abrazaron con suavidad a María.

—Bienvenida —murmuró Juana y de inmediato volvió a poner toda su atención en la enferma. Tornó a enjugar su frente y a sujetarle las temblorosas manos. Acercó sus labios al lóbulo ardiente de la enferma y le explicó que María ya se había reestablecido y que ella sería la siguiente.

María deseó brindar ayuda pero sabía que todo cuanto podía ofrecer no era más que buenas palabras. Luchando contra la propia debilidad se inclinó hasta tumbarse al lado de Justa. Acarició y ordenó sus cabellos, mezclando sus dedos con los de Juana.

—Te salvarás —escuchó que Juana aseguraba a su oído.

—Te salvarás —susurró también María la propia plegaria. Combatió el deseo de permanecer tumbada para siempre y pidió ayuda para incorporarse. Fray Agustín y don Hernando la izaron hasta que pudo volver a sentarse y luego la llevaron de un doliente a otro. Cuando ya no pudo atajar los golpes de la propia debilidad hizo que la condujeran a descansar contra la banda de estribor. Vio como el sol se ocultaba con prisa y sonrió pensando que todavía alumbraba la deseada orilla del Brasil. Un dolor agudo le atenazó el estómago pensando en los que ya no verían esa tierra. Bebió grandes sorbos del vino reservado a los enfermos y la angustia se diluyó. Sus músculos y su mente se aflojaron y el sueño la recuperó para sí.

La salud volvió a zancadas a su cuerpo. Mezcló el bienestar de quien estuvo ayer a un palmo de la muerte con la impotencia del capitán que ve quintar a su hueste. No faltó a sus obligaciones. Acompañó cada moribundo como si fuera el más importante. Doblegó la tristeza que le atenazaba e imprimió a su rostro la serenidad de quien garantiza a los vivos, que el muerto ha ido a reunirse con el Padre. Acercó agua y vino a los labios de los que sufrían. Se prestó a ser la madre que muchos reencontraron en el delirio. Trabajó incansable y las veces que flaqueó, lloró a escondidas.

—El dolor es privado —contestó a fray Agustín tratando de disimular las lágrimas.

—Si la cruz que pretendes llevar es excesivamente pesada para tus fuerzas ...

—Eres generoso conmigo —murmuró María conteniendo el sollozo. Alzó el brazo, apretó el puño como si fuera a golpear, endureció la expresión de su rostro y agregó—: ¿cuánto me duelo por ellos; cuánto por mi armada?

—Nadie es tan santo que, salvando a los demás, renuncie a estar en camino de la propia salvación.

—¿Y?

—No veo razón para que debas reprocharte porque también te duela lo que tú pierdes.

—¿Cuántos morirán? —interrumpió sombría María.

—¿Cuántos moriremos? —preguntó en voz alta el religioso—. No sé; ignoro cuantos enfermaremos aún. Unos cuerpos resisten y otros no. Que se haga la voluntad de Dios —suspiró con resignación.

—¿Cuántos? —insistió María.

—¿Veinte, treinta? —se encogió de hombros fray Agustín—. Algunos no enferman y otros se recuperan rápido. Hay quienes mueren en tres días como si tuvieran prisa por dejarnos y los más languidecen una semana, como si su destino fuera apagarse lentamente.

Al día siguiente el color y la risa volvieron al cuerpo de Justa. Cuando la última luz del atardecer desdibujaba las formas, María creyó verla unida a Juana en un largo beso. Se acercó llena de felicidad a abrazarlas. Siguió luego atendiendo enfermos mientras trataba de disimular su extraordinario contento, que le parecía blasfemia entre tanto dolor. Pero su alegría se quebró sin darle siquiera derecho a descanso porque la fiebre atacó a Mencita.

El miedo cosquilleó en el interior de María. Quiso alentar a Mencía pero las palabras que se le ocurrieron no superaron el umbral de la burla. Procuró ocupar su lugar de día o de noche, pero Mencía no se movió del lado de la enferma. La fiebre arrasó a tambor batiente la fortaleza de Mencita. En tres días dejó su piel amarilla, sus huesos marcados y sus ojos hundidos. Apenas en sus labios agrietados permaneció la sonrisa del capitán que ha elegido acompañar su barco al fondo del mar.

—No tengo fuerza —se disculpaba Mencita—. Con la que me presta vuestro amor no bastará.

María trató en vano de persuadirla. Luchó como si pudiera vencer pero vio crecer los signos de la derrota. Se acercaba para convencer, consolar y mimar. Cada vez con más frecuencia debía huir para que la propia pena reventara lejos de la enferma.

Por primera vez desde que era pequeña rezó como si ello sirviera para algo. Ofreció el alma a cambio de una mejoría de su hermana. Pidió, suplicó, imploró una señal hasta extraviar la mirada y perder el control del propio pensamiento. Dios no contestó. Maldijo, blasfemó, prometió convertirse a la prédica de Calvino y rogó al Maligno pero solo obtuvo silencio.

Le tentó la mar pero la contuvo el miedo a morir ahogada. Salió en búsqueda de un arma de fuego; encontró a Trejo y se la pidió.

—Claro —accedió sin hacer preguntas.

Con mano temblorosa María introdujo y compactó la pólvora; colocó un grueso perdigón, encendió la mecha y cuando solo faltaba el estampido para concretar la muerte se escuchó el golpe de una mano contra otra. Alzó la vista y dio de lleno con Trejo, que había apagado la llama. María lo miró incrédula y se golpeó contra unos ojos que expresaban compasión. Le observó sin dolor pero con la extrañeza de quien acaba de recibir un fuerte golpe en la cabeza.

—Venid —abrió sus brazos Trejo.

—No lo digáis a nadie —murmuró María mucho más tarde.

—¿Quién entre nosotros no ha flaqueado?

—No puedo más. Se va a morir.

—En las manos de Dios estamos.

—¿Os consuela decirlo; creéis que me consuela escucharlo?

—No.

Los dos guardaron silencio mirando al mar. María alzó la vista hacia donde debía estar la playa, murmuró:

—Nunca llegará a verla —y tornó a hundirse en el silencio.

—Todos hemos de morir.

—¿Sin amar; sin besar la tierra prometida?

—No hay consuelo ante el sufrimiento de los inocentes —murmuró Hernando de Trejo y se encerró en el respetuoso silencio de quien está en un funeral. Permaneció al lado de la joven pero con la mirada puesta en la lejanía; inmóvil, pero en tensión.

—No tema, no saltaré. —murmuró María —señalando el mar con la mirada—. Temo la asfixia.

—La desesperación ..

—La desesperación viene a oleadas, se calma, regresa...

—Bebed aguardiente.

—¿Qué? —murmuró María con extrañeza.

—¿Queréis pelear contra la desesperación o dejar que os lleve?

—Yo no quiero nada. Yo quiero que no se muera —susurró María y volvió a hundirse en el silencio.

—Aguardad —pidió Trejo. Marchó y regresó veloz con un frasco de aguardiente.

Avanzó el día; avanzaron los cuatro días siguientes. Avanzó el barco con discreta brisa. Avanzó el tributo de cadáveres entregados para siempre al océano. María no faltó a ninguna de las citas irrevocables entre los cuerpos y la mar. Despidió con dolor a cada muerto. Cada bulto hiriendo el agua salada la salpicó de terror. El nombre de cada mortaja que se hundía le anunciaba que el siguiente sería el de su hermana.

Con el paso de los días la enfermedad tuvo menos entre quienes elegir. Parecía impotente para atacar a los que ya la habían padecido y hacía caso omiso de los que se habían librado. Los cadáveres escasearon y el miedo de María continuó. Empezó a crecer en ella una rabia sorda; un resentimiento incendiario.

—Dios —blasfemó María —reserva a mi hermana como última víctima. Maldigo con todas mis fuerzas —se hizo paso en su corazón— a Dios, capaz de usar el sufrimiento de mi hermana inocente para castigar mi soberbia.

Dejó de asistir al continuo celebrar religioso promovido por la gratitud de los enfermos que se habían recuperado. Omitió hacerse presente en los oficios destinados a rogar por el alma de quienes se habían ido. Fray Agustín se lo reprochó y ella respondió con un torrente amargo de blasfemia. El religioso ni se indignó ni se sorprendió y abrió los brazos como para recibir y consolar.

—Cuando hayas tirado al mar esa cruz —escupió María.

El terror de María se mantuvo estable en el nivel de lo insoportable. La ahogó el resentimiento cuando la vida decidió quedar o escapar de los últimos enfermos.

—Ya nadie queda excepto Mencita —habló para sí, pero desafiando a Dios—: ¿esta es la señal que te imploré? —ironizó deseosa de despedazar el aire.

Mencía la llamó. María quiso con toda el alma ser ciega y sorda. Todo su ser se estremeció y la empujó a escapar pero no osó hacerlo y acudió corriendo.

—¡Escucha! —gritó Mencía.

—Viviré —murmuró Mencita—. Viviré —repitió como quien anuncia la verdad.

María se detuvo como si hubiera chocado contra un muro. Abrió la boca como para gritar pero quedó muda. Sus ojos se dilataron como si no tuvieran manera de abarcar lo que tenían delante. Por su cerebro pasó toda su vida en un instante. Se tambaleó como si su cuerpo fuera agua y se derrumbó como si sus huesos fueran harina. Volvió rápido en sí. Temblaba, reía y lloraba. Guardó silencio como si la palabra ya nunca más fuera necesaria. Se fundió junto a su hermana como si siempre hubieran sido el mismo cuerpo.

Al día siguiente Mencía, Mencita, María y la buena nueva subieron a cubierta. Fueron de popa a proa, de una banda a otra como anunciando que ya no habría más cadáveres. Diciendo que volvía a ser momento para pensar en la inminente costa del Brasil.

María se dio a disfrutar el aire marino, el sol y el pan como quien ha recibido una segunda oportunidad.

—¿Ha sido una señal? —se interrogaba sin que la duda empañara su contento—. Me gustaría sentirlo así, pero no percibo ni la mano de Dios ni Su mensaje. No consigo verlo ni en los que se salvaron ni en quienes murieron —afirmó delante de fray Agustín lo que había pensado muchas veces.

—Parece poco humilde esperar —observó el religioso— que el Señor se ocupe en contestar con señales tus ruegos.

—Dirás que tan solo pretendo justificarme, pero: ¿cómo no desesperar sin la mínima señal?

—Si la verdadera fe dependiera de las señales, no existiría. ¿Amas a nuestro Señor gratuitamente, o le atiendes porque te conviene?

—Por Dios, no digas cosas tan complicadas, que no pueda entenderlas —pidió María.

—Si el Señor te diera las garantías que le pides, si te respondiera tal como rogaste: ¿sabrías de Su poder?

—Sí, claro.

—En ese caso te ampararías en Él, te someterías a Él. Pero no le amarías del modo que amas a Mencita, que todo te lo ha pedido y nada podía darte a cambio.

—Cerca estoy de las lágrimas, pero son lágrimas cercanas a la felicidad. Si hay verdad en cuanto dices: ¿Crees que Él podrá perdonarme?

—Maldecir su nombre por amor de sus criaturas...

Dejó la frase inconclusa pero sonrió y la miró como quien desea abrazar.

—Por amor de sus criaturas... —devolvió María la sonrisa y bromeó—: me gustó tu frase. Claro —continuó con un poco más de seriedad—, habría que ver cuánto ha sido por eso y cuánto por amor a mí misma.

—Vaya, vaya, como decía Cabeza de Vaca: ¡cuánto complican las cosas las mujeres!

—Te pellizcaría y te apretaría, querido amigo, si no fuera porque sospecho que prefieres que otra lo haga.

—¡María!

—Es que las mujeres complicamos mucho —rió, y lo invitó a recorrer la nave que hasta ayer había sido hospital.

—¿Los encontraremos? —preguntó luego.

—¿Llegaremos? —replicó fray Agustín.

—Claro —rió María—. No es posible haber venido hasta aquí para no llegar.

—La costa del Brasil también estará infestada de corsarios franceses.

—Vaya, vaya —usó María su oportunidad para bromear— como decía Cabeza de Vaca, te estás volviendo viejo.

—Viejo, no; apenas un poco más sensato.

—Ten cuidado con lo que llamas sensatez que cuando decidas ocuparte de "aquel" asunto, puede que una mala pasada te juegue la vejez —rió la joven poniendo énfasis en la rima.

—¡María!

—¡Fray Agustín! —continuó riendo María—. ¿Acaso es lógico que continúes luchando por mi alma pecadora, y te horrorices porque te cosquillea el corazón y la piel cuando ves a Josefa?

—Tú —trató de defenderse atacando— preguntas si encontraremos las otras naves porque no te atreves a decir que lo que te importa es la suerte del arcabucero.

María rió llena de satisfacción.

—Claro que querría encontrarle. Pero —sonrió— si continuamos demorando en alcanzar la orilla no sería extraño que para entonces ya haya encontrado reemplazo.

—¡María!

—Vaya, vaya, querido amigo. Te escandalizas por todo. Ven —propuso—, te llevaré con Josefa.

—No puedes hacerme esto —murmuró fray Agustín y se embozó en gesto pesaroso.

—Lo siento —se disculpó María—. Ven —pidió y volvieron a situarse contemplando el mar.

Al rato volvió a disculparse:

—Lo siento; es que la vida ha vuelto con fuerza —aseguró.

—¿Qué es eso del reemplazo? —inquirió el fraile, dando por zanjada la cuestión.

—¿Reemplazo? —rió María.

—Habla en serio conmigo.

—¿Por qué? ¿Acaso no hemos debido hablar demasiadas veces en serio?

—Es verdad —sonrió el religioso.

—¿Qué te parece Hernando de Trejo?

—¿Me preguntas como alcahuete o como fraile? —bromeó fray Agustín.

—Como hermano —aseguró María, e hizo ademán de ponerle el brazo sobre el hombro.

—Como hermano te daría cien azotes —sonrió mientras movía la cabeza de un lado a otro, en actitud de negar.

—Vamos —pidió—, ¿qué te parece?

—Al menos es más adecuado que el rústico alemán.

—¡Maldito! —hizo como que se ofendía María.

—Empiezo a creer que lo has olvidado.

—Olvidar, olvidar... Dios quiera que esté vivo. Dios quiera que las dos carabelas nos estén aguardando.

—De mástil roto como vamos nosotros, ellos ya deben estar allí. Dios lo quiera —deseó también fray Agustín.

Los días se sucedieron y la nave continuó buscando la peligrosa costa. La de los arrecifes, la de los falsos puertos, la de las traicioneras playas. La que escondía corsarios, la que estaba sembrada de naufragios, la que estaba habitada por indios que comían carne humana. La deseada.

La embarcación perseveró procurando el poniente. Allí se insinuó un día la orilla y fue saludada con lágrimas de gratitud. La nave viró y enderezó rumbo al sur buscando la latitud del punto de encuentro. Para evitar que un mal viento pudiera arrojarla contra la playa, se mantuvieron tan mar adentro que la costa fue apenas una débil presencia. Eludiendo la vigilancia de corsarios escondidos en islas o ensenadas, singlaron en alta mar, desde donde apenas distinguían los montes más altos. Un mediodía la altura del sol coincidió con la de la isla de Santa Catarina, cambiaron el rumbo y se dirigieron hacia la costa. La proa buscó el canal de agua resguardada, entre la isla y el continente. El viento, como si se hubiera animado y resoplara ironía, arreció y empujó hacia el sur. A media mañana roló, empezó a soplar con fuerza desde levante y la nave resbaló hacia su perdición. Las anclas tocaron fondo pero la arena no sujetó bastante. A paso más lento la orilla se fue acercando y mostró sus colores de arena y monte. El capitán Salazar dispuso que se hicieran balsas sobre barriles vacíos y mandó amarrar las armas. Aseguró:

—Apenas la quilla roce el fondo, la nao se partirá. Que cada cual sea entonces su propio capitán. Que quien llegue a la orilla no desespere, que si la mar le ha llevado, también llevará las armas. Que Dios nos ampare.

Como si fuere el segundo de abordo María invitó:

—Recemos; que el Señor no nos ha permitido llegar hasta aquí para ahogarnos en el último escollo. ¡Llegaremos! Que cada cual —reclamó—, se ocupe en poner en paz a su conciencia como si fuéramos a naufragar. Mañana —aseguró y convenció—, pisaremos más livianos el nuevo mundo que nos aguarda.

Durante todo el día la tierra continuó acercándose sin prisa. Los relámpagos, el resbalar de las anclas sobre el fondo arenoso, el gemido de los maderos mostraron durante la noche que el agua entre la nave y el naufragio era cada vez menor. Las horas sin luz transcurrieron entre el sonido de los rezos pronunciados para conjurar el peligro y el silencio de quienes esperaban el chasquido de la quilla al partirse contra el fondo.

Al amanecer amainó el viento y dejó que desde tierra llegaran sonidos y los primeros colores de un sol tímido. A media mañana resplandeció el día y sopló la mejor brisa. Muy a la distancia divisaron dos alturas que podían ser las que flanqueaban el canal buscado entre isla y continente. Al caer la tarde no cabía duda; la mañana siguiente podrían fondear en el sitio convenido para encontrar las otras naves. El buen clima y la impaciencia por que llegara el alba presidían las conversaciones sobre cubierta.

—Ah, María de Sanabria —se ilusionó fray Agustín—, la noche se muestra espléndida, como si fuera regalo de despedida de esta travesía aciaga.

—¿Los encontraremos?

—Dios te oiga.

—¿Habrán embarcado también la fiebre?

—Cesa ya de preguntar lo que mañana sabrás.

—Como si de callar se tratara.

—¿Otra vez el arcabucero? —sonrió fray Agustín.

—Sí y no.

—¿En qué sí; en qué no?

—Sí en todo pero...

—¿Pero?

—En la costa de Guinea él eligió la vida y yo la gloria. Le odié por eso y por ello dejé de amarle.

—¿Y?

—Ya no le quiero, pero...

—¿Ya no le quieres?

—Tú no entiendes —murmuró María para inmediatamente corregir—: no, no es que tú no comprendas. Es que yo tampoco entiendo.

—¿No comprendo qué? ¿No entiendes qué?

—Que yo quiero quererle como le quise, pero no puedo. Los de Canarias fueron los mejores días de mi vida, pero encontrar a Staden no me los devolverá. Hizo lo correcto; hizo lo que yo haría ahora, pero me asestó un golpe mortal.

—¿Lo que tú harías?

—Por amor de sus criaturas —rió María parodiando a su interlocutor.

—No te entiendo —sonrió fray Agustín.

—Ha sido demasiado fácil.

—Estás loca. Hablas sin coherencia.

—Espera —rió María y respiró hondamente disfrutando el aire fresco de la noche; el del verano austral que se insinuaba en la costa.

—Espero —sonrió el religioso disfrutando igualmente de la noche.

—Ha sido demasiado fácil. Los hombres han sido demasiado fáciles. Me ha costado tan poco moverme en el mundo de los hombres, con las reglas de los hombres, que he perdido interés.

—¿Ya no te apasionarás?

—No me mal entiendas —rió María e insinuó gesto obsceno. Luego reanudó con seriedad—: fue fácil recorrer el camino que conduce a la gloria. La de mi tío Hernán Cortés, asesino de su esposa. La de Juan de Sanabria, verdugo de mi madre. La de nuestro querido náufrago Cabeza de Vaca. Tú sabes y el capitán Salazar debiera conocer que fue mi hueste y no la vuestra la que nos trajo hasta aquí.

—¿Y?

—Fue demasiado fácil. Yo creí que había más en el mundo de los hombres y encontré muy poco. Vi demasiadas veces como trocaban la arrogancia en temblor cuando perdían el control de la espada o del látigo. Y encontré que los pocos hombres de honor, están tan desarmados como yo. Aprendí que yo soy tan capaz de matar como ellos; supe de nuestro completo desamparo para proteger la vida.

—En total, que un loco tira una piedra al mar y cien sabios no la pueden sacar.

—Filosófico estás —sonrió María—. Pero de eso se trata.

—Vaya —sonrió fray Agustín. —Parece que tienes nuevos planes.

—Nuevo corazón —sonrió María y le abrazó con la mirada.

Apenas la luz del nuevo día lo permitió se internaron en las mansas aguas del canal que separa la isla de Santa Catarina del continente. Al doblar un recodo encontraron a mil breves pasos una nave.

—Es una de las nuestras —se alzó un clamor henchido de felicidad.

—¡Es la de Staden! —se le escapó la exclamación a María.

Buscó con la mirada a los suyos y encontró a su madre en el otro extremo de la nave. Corrió a su encuentro y mientras avanzaba hacia la celebración, una luz se abrió paso desde las profundidades de su cerebro. Cuando se fundieron en un abrazo, la nebulosa se hizo claro recuerdo y susurro en su oído:

—¿El Emperador es mi padre?

María sintió en su cuerpo el temblor que sacudía el de Mencía y se separó riendo. Se alejó mientras su madre movía los labios sin conseguir pronunciar palabra.

—¡Gracias a Dios! —estaba lleno el aire de exclamaciones. También repicaban las voces que intercambiaban los de la nave que estaba llegando y los de la carabela que aguardaba.

—¡Gracias, gracias a Dios! —abrazó María a muchos que se pusieron en su camino. Salazar se detuvo frente a ella y la saludó con una ligera reverencia.

—Enhorabuena, capitán —sonrió María.

—Enhorabuena para vos también, doña María —respondió el capitán. Dudó un momento, en la actitud de quien busca las palabras adecuadas y luego, con tono cortés, suave y firme agregó—: ¡A pesar de las dificultades, al fin os he traído hasta aquí!

Un torrente de palabras acudió a la garganta de María pero antes que pudiera pronunciarlos, Salazar le saludó con una leve inclinación de cabeza y continuó su camino. María le siguió con la mirada, dio un paso para ir en su alcance y contestarle lo que merecía, cuando sus ojos encontraron los de su hermana. Corrió a abrazarla y durante un momento pareció que danzaban juntas, como contrarrestando el movimiento de la nave.

—¿No te enfadarás? —preguntó Mencita

—¿Qué dices? —rió María.

—Estoy segura: hay quien quiere casarse conmigo.

—¡Qué! —la quedó mirando con los ojos muy abiertos y sin que acabara de cerrar la boca—. ¿Es broma?

—A nadie he dicho porque yo temía que no fuéramos a llegar.

Como si siguieran bailando, las dos hermanas continuaron moviéndose por cubierta al compás de las olas. Como a la espera de la siguiente música y con fingida seriedad María se separó como exigiendo:

—¡En la playa me lo tendrás que contar todo!

En la otra banda vio al fraile y a Josefa, que contemplaban la playa con ojos que relucían de contento. Se aproximó llena de deseo de darles su enhorabuena.

—¡Nueva tierra, nueva vida! —auguró.

—Dios lo quiera —respondió el fraile.

—Todo esto —murmuró Josefa, rebosante de felicidad —para aprender que los que pasamos la mar, de aire, y no de alma, hemos de mudar.

—Ven —propuso María—, vamos con las otras jota.

—¿Qué?

Entre risas, María la llevó junto a Juana y Justa. En el camino su mirada se posó en el rostro de una de las mujeres que había perdido su prometido, víctima de la fiebre. Dejó de reír pero colmada de emoción las invitó con un gesto a juntar las ocho manos. Volvió junto a fray Agustín, fue a bromear con su cercanía a Josefa pero en cambio, aseguró:

—Gracias. Eres el mejor.

—¿El mejor? —sonrió con un dejo de tristeza.

—¡Deja por un momento de tanto pensar, y disfruta!

—Pienso en los que ya no podrán disfrutar esta playa: ¿quieres que te recuerde los nombres de la buena gente que nos dejó en la travesía?

—¡Por Dios, que hoy es día de celebración! ¿Qué llevarás así a los indios que hoy te tienen más cerca?

—El pensamiento anda siempre de viaje, sin pagar peaje, barcaje ni hospedaje.

—¡Cállate ya!

—Tienes razón —murmuró el religioso, forzándose a la más ancha sonrisa. A lo lejos divisó al arcabucero, le señaló con el dedo y preguntó—: ¿No habías dicho que si demorabas en encontrarlo ibas a reemplazarlo?

—¿Reemplazarlo? —ironizó María, rebosante de felicidad.

—¿Es una señal? —preguntó fray Agustín como si no hubiera escuchado.

—¿Lo del arcabucero o lo de haber llegado?

—La promesa de primavera, para nosotros y para los indios.

—Me gustó la frase —rió María—. Repite "promesa de primavera" —pidió bromeando.

Fray Agustín no contestó, volvió a señalar con el índice la dirección en que estaba el soldado alemán y luego indicó con la mirada hacia el sitio que ocupaba el caballero extremeño. Tras ello preguntó entre risas, como ebrio de alegría:

—¿Hay o no hay reemplazo?

María le miró, desvió la vista hacia donde estaba Staden y luego buscó con la mirada a Hernando de Trejo. Mientras el contento le arrancaba risas y la dicha lágrimas, contestó:

—Veremos.

Documentación

La mayor parte de las escasas fuentes relacionadas con la expedición Sanabria se custodian en el Archivo General de Indias de Sevilla y en el Archivo General de la Nación Argentina. Documentos de mucha relevancia han sido publicados por Enrique Martínez Paz, en el apéndice de su obra: "El nacimiento del Obispo Trejo y Sanabria". Imprenta de la Universidad. Córdoba. República Argentina, 1946.

"Ni espada rota ni mujer que trota", de Mary E. Perry, Barcelona, 1993 y "Los hombres del océano", de Pablo E. Pérez-Mallaína, Sevilla, 1992, son interesante lectura y adecuada introducción a la trasgresión y la vida cotidiana en Sevilla y en el mar, a mediados del siglo XVI.

Los libros —publicados y fáciles de conseguir— de Álvar Núñez Cabeza de Vaca y de Hans Staden son fundamentales. Las relaciones entre ellos y María de Sanabria pertenecen al territorio de la novela. Corresponde al lector transitar con acierto en la compleja frontera donde interactúan realidad y ficción.

La documentación no permite discernir el modo en que se organizaron las decenas de protagonistas, pero la historiografía ha tendido a adjudicarles una actitud cercana a la sumisión. Por ejemplo en relación al episodio ocurrido en la costa de Guinea el eminente historiador Enrique de

Gandía escribió: *"mientras las damas y damiselas se agrupaban atemorizadas y silenciosas, ahogando los sollozos, en la popa del navío, los franceses pillaban todo lo que hallaban a la mano"*. Los detalles sobre el ataque referido son escasos, contradictorios y por supuesto no avalan tal versión de lo sucedido.

La suerte de la expedición

Entre fin del año 1550 y el principio del siguiente, la armada desembarcó en la isla de Santa Catarina, en el actual estado brasileño de ese nombre. En 1551 la nave y la carabela que habían conseguido llegar se fueron a pique. Como consecuencia, los expedicionarios debieron renunciar a continuar el viaje por mar. Por entonces y mediante actos no violentos se desposeyó del mando al capitán Salazar y se invistió a Hernando de Trejo, quien poco antes se había casado con María de Sanabria.

Más tarde los supervivientes se desplazaron hacia el norte, buscando el amparo de los portugueses del actual estado de Sao Paulo. Las autoridades locales, al parecer buscando solucionar la propia falta de mujeres europeas, impidieron continuar viaje a lo que restaba de la armada. Algunas de las expedicionarias se casaron con súbditos de Su Fidelísima Majestad. Otras lo hicieron con sus compañeros de travesía o con los españoles que estaban desde antes en el Río de la Plata. María y lo que quedaba de su hueste partieron o huyeron hacia fin del año 1555. Luego de meses de marcha atravesando la selva llegaron a las puertas de Asunción del Paraguay. Para entonces habían transcurrido seis años desde la partida de Sanlúcar de Barrameda. Apenas entraron en Asunción, Hernando de Trejo, marido de María de Sanabria, fue encarcelado. Tal lo ordenado por el gobernador Irala, el mismo que había promovido el derrocamiento de Cabeza de Vaca. En octubre de ese año Irala murió súbitamente y Trejo recobró la libertad.

PROTAGONISTAS

Hans Staden embarcó como arcabucero en la expedición Sanabria. Era su segundo viaje a las Indias y llegó al Brasil en la carabela que precedió a la nave capitana. Tras soportar penurias en la costa se trasladó junto a los portugueses del actual Sao Paulo. Allí fue capturado por indígenas antropófagos y durante nueve meses asistió a los preparativos que debían acabar convirtiéndolo en comida. Consiguió escapar y regresó para dar gracias a Dios, escribirlo y supervisar los grabados realizados para ilustrar su relato. Su testimonio es hoy fuente principal para el conocimiento de los rituales de antropofagia de los indígenas tupí-guaraní. Hay contradicciones entre lo señalado por Staden y otras fuentes disponibles para conocer el itinerario de la armada.

Álvar Núñez Cabeza de Vaca fue en 1527 al Caribe en una expedición muy castigada por huracanes tropicales. Junto a trescientos hombres desembarcó en tierras pantanosas del actual estado de Florida llenas de cocodrilos y serpientes. A las dificultades del territorio inhóspito se sumaron ataques indígenas, hambre, sed y enfermedades. Cabeza de Vaca permaneció solo entre indígenas los seis años siguientes. Fue esclavo, mercader y curandero. Cuando encontró a otros tres náufragos emprendieron la travesía de este a oeste de todo el sur del actual Estados Unidos, para llegar a México. Desde allí retornó a España y consiguió que se le designara adelantado gobernador del Río de la Plata. Llegó a Asunción del Paraguay tras un viaje asombroso que describió con bellos colores Sus intentos por limitar los abusos de los europeos contra las mujeres indígenas parecen haber influido en generar el movimiento que lo depuso. Los insurrectos no se atrevieron a ejecutar a un gobernador nombrado por el Rey y lo enviaron encadenado a España. Tras sobrellevar penalidades diversas que incluyeron el intento de envenenarlo, se fugó y se dirigió a la Corte, empeño en el cual fue sin embargo precedido por sus enemigos.

Cabeza de Vaca vivió los años siguientes envuelto en pleitos con la burocracia. La presencia en Sevilla, las características de la prisión y la citación a la Corte que se le atribuyen en la novela no tienen base documental, sin que por ello estén fuera de lo posible. Se desconoce con precisión la fecha de su muerte. Algunos historiadores afirman que el último año de su vida fue rehabilitado y llegó a ocupar un alto cargo en Sevilla en 1556.

Mencía Calderón fue madre de María, de Mencía y de una tercera hija que al parecer murió durante la travesía. No es claro si era madre o madrastra de Diego de Sanabria, heredero de la capitulación firmada por Juan de Sanabria. Enviudó en 1548 y representó a su hijo o hijastro, quien nunca fue al Río de la Plata. De un interrogatorio fechado en Asunción se desprende que rechazó las presiones de su madre para que abandonara la armada y retirara su dote. El mismo documento pretende probar que parte considerable de lo perdido a manos de los corsarios franceses era de su propiedad.

Mencita de Sanabria, hermana de María e hija de Mencía Calderón. Su nombre era Mencía, pero por comodidad narrativa fue modificado. No he encontrado documentación significativa que se refiera a ella. Se casó, posiblemente en la costa del Brasil, con el sevillano Cristóbal Saavedra, hijo del correo mayor de esa ciudad.

Juan de Salazar fue a Indias en la expedición de Mendoza que en 1536 realizó la primera y efímera fundación de Buenos Aires. Le cupo papel importante en la exploración de los ríos Paraná y Paraguay que eran considerados entonces camino hacia El Dorado. En ese contexto fundó el fuerte que dio origen a la ciudad de Asunción, actual capital de Paraguay. Ya derrocado, Cabeza de Vaca le otorgó secreto poder para que lo reemplazara. Salazar lo hizo público cuando la carabela que llevaba al depuesto gobernador rumbo a España había zarpado. Los insurrectos lo prendieron y enviaron en una embarcación menor, que alcanzó la carabela en la costa del Uruguay. De ese modo, Salazar y Cabeza de Vaca compartieron, en calidad de prisioneros, la travesía del Atlántico. En 1547 fue nombrado tesorero general del Río de la Plata. Con ese cargo y desempeñando el de capitán general de la armada de Sanabria volvió a las Indias.

María de Sanabria —según el erudito historiador Dr. Enrique Martínez Paz— sufrió antes de partir de España "*la grave pena de la muerte de su prometido, el primogénito del conquistador Hernán Cortés*".

Necesariamente debe referirse a Martín, el hijo mestizo del conquistador de México, que —si la palabra puede usarse— parece haber sido reemplazado por el Martín Cortés legítimo, que murió mucho más tarde en México.

Tales circunstancias y sus intensas posibilidades para explorar relaciones de amor, de conveniencia, de presión familiar, de prejuicio a mediados del siglo XVI no fueron tenidas en cuenta en la narración. No obstante influyeron para que prestara atención a la información disponible sobre esa mujer.

En 1551 o 1552, María de Sanabria contrajo matrimonio con Hernando de Trejo, merced a lo cual lo convirtió en alguacil. En el año 1553 nació su primer hijo, que fue bautizado con el nombre de Hernando. Los años 1554 y 1555 fueron de enormes dificultades en la costa del Brasil. Hacia fin de este último año emprendió un viaje que había de durar meses a través de la selva para finalmente llegar a Asunción del Paraguay en 1556.

María de Sanabria enviudó probablemente en el año 1558. Por testamento recibió muy importantes bienes y la libertad de elegir si disfrutarlos en el Río de la Plata o en España. Más tarde volvió a casarse, esta vez con Martín Suárez de Toledo, quien había llegado al Plata junto a

Cabeza de Vaca. Con él tuvo otro niño, al que también llamó Hernando.

El hijo que había tenido cuando estaba casada con Trejo se hizo franciscano. Andando el tiempo se tornó uno de los grandes protagonistas de la vida religiosa e intelectual en el Plata. Entre otras circunstancias, es interesante señalar que fue el primer provincial criollo de su orden, tercer obispo de Tucumán y fundador de la Universidad de Córdoba.

Hernando Arias o, como es más conocido, Hernandarias, fue hijo de su segundo matrimonio. Entre fines del siglo XVI y principios del siguiente fue tres veces gobernador y el gran protagonista civil y militar del Río de la Plata. Hernandarias es hoy una figura clave en la reconstrucción del propio pasado que hacen las repúblicas de Paraguay, Argentina y Uruguay.

María de Sanabria pudo recibir la versión impresa de las obras de Álvar Núñez Cabeza de Vaca. Si bien los Naufragios conocieron la imprenta en una muy limitada edición de la década de 1540, fue en Sevilla y en el año 1555, cuando se publicaron por primera vez de manera conjunta los Naufragios y Comentarios. Aunque es menos probable, tal vez también le haya llegado la Vera Historia en que Hans Staden narró e hizo ilustrar su cautiverio, en la edición alemana de 1556.

Vislumbro a María viviendo feliz entre los sobrevivientes de la armada. La imagino con una pizca de vanidad por lo que había conseguido y otra, porque sus hijos alcanzaron las más altas dignidades. La percibo soñando con las distintas luces que alumbrarían el devenir humano. Conjeturando que en algún tiempo se prestaría atención a los renglones que había escrito entre líneas. Pero sobre todo la adivino menos interesada en la posteridad que en la vida.